CW00430835

ÜBERFALL DER BÄREN

ALPHA WÄCHTER, BUCH 4

KAYLA GABRIEL

Copyright © 2019 by Kayla Gabriel
Alle Rechte vorbehalten. Kein Teil dieses Buches darf in irgendeiner Form
oder mit irgendwelchen Mitteln ohne ausdrückliche, schriftliche
Erlaubnis der Autorin elektronisch, digital oder analog reproduziert oder
übertragen werden, einschließlich, aber nicht beschränkt auf,
Fotokopieren, Aufzeichnen, Scannen oder Verwendung diverser
Datenspeicher- und Abrufsysteme.

Veröffentlicht von Kayla Gabriel als KSA Publishing Consultants, Inc.
Gabriel, Kayla: Überfall der Bären

Coverdesign: Kayla Gabriel
Foto/Bildnachweis: Depositphotos: chestief & mikeloiselle

Anmerkung des Verlegers: Dieses Buch ist *ausschließlich für erwachsene
Leser* bestimmt. Sexuelle Aktivitäten, wie das Hintern versohlen, die in
diesem Buch vorkommen, sind reine Fantasien, die für Erwachsene
gedacht sind und die weder von der Autorin noch vom Herausgeber
befürwortet oder ermutigt werden.

SCHNAPP DIR EIN KOSTENLOSES BUCH!

Melde dich für meinen Newsletter an und erfahre als Erste(r) von neuen Veröffentlichungen, kostenlosen Büchern, Rabattaktionen und anderen Gewinnspielen.

kostenloseparanormaleromantik.com

PROLOG

„Mutter, ich kann keine Unschuldigen töten", sagte Allisandre und warf ihren Vorhang aus seidenem schwarzem Haar über ihre Schulter. Sie rannte zum anderen Ende ihrer Höhle, einer Kammer im Erebus, tief im Herzen der Erde. Das zu Hause der Greek Furies, der höllischen Göttinnen, die nur existierten, um sich zu rächen und die Übeltäter zu bestrafen und zu töten.

Allises Mutter Tisiphone stand auf, Wellen ihres spröden grauweißen Haars traten aus der Kapuze ihres ausgefransten schwarzen Mantels hervor. Tisiphone umklammerte einen Stock in ihrer knotigen Hand und lehnte sich schwer darauf, während sie sich auf ihre Tochter zu bewegte. Allise sah die Entschlossenheit in dem mit Falten durchzogenen Gesicht; in dem Moment sah ihre Mutter wie eine alte Frau aus, sie passte perfekt zu ihren Schwestern Alekto und Megaera. Drei alte Hexen mit der Macht Leben, Tod und Schicksal zu kontrollieren.

„Wir sind die Erinyes, meine Tochter. Wir beugen uns keinem Mann", informierte Tisiphone Allise zum ungefähr tausendsten Mal. Die griechischen Rachegöttinnen waren

Allises Geburtsrecht, obwohl sie auch halbsterblich war. Seit Allise sich erinnern konnte, hatte ihre Mutter ihr immer und immer wieder die Schritte erklärt, um alle ihre Kräfte zu erlangen.

„Ich habe die sterbliche Welt verlassen, Mutter", sagte Allise und begann mit der Liste der Anforderungen, ehe ihre Mutter es tun konnte. „Ich habe Männer verlassen –"

„Männer zu verlassen wird dich nicht in deine Macht bringen und dich zu einer der Erinyes machen, Allisandre", korrigierte ihre Mutter. Das war ebenfalls Teil ihres alten Lieds und Tanzes und es ließ Allise seufzen. „Du musst deinen Partner aufgeben, den Mann, der die Macht hat, dich auf die Knie zu zwingen und deinen Tod herbeizuführen. Dann und nur dann wirst du göttlich werden. Nur dann bist du wirklich unsterblich, nur dann wirst du beginnen, wie eine Rachegöttin zu altern."

Allise presste ihre Lippen zusammen, um die scharfe Antwort die auf ihrer Zunge lag nicht auszusprechen. *Ich will keine Krähe werden*, dachte sie. *Ich mag mich so, wie ich bin.*

Aber so wie sie war, das wäre nie genug. Sie war zu jung, zu schwach, zu sterblich. Ihre Tanten Alekto und Megaera waren immer sehr fürsorglich, aber Allise wusste, dass sie dasselbe dachten. Bis sie nicht ihren verbündeten Partner getötet und ihre ganzen Kräfte als Rachegöttin gewonnen hatte, und ein Racheengel wurde, würde sie nie akzeptiert werden.

Nur dann würde sie hier zum Erebus gehören, zusammen mit ihrer Mutter und ihren Tanten.

„Du wirst ihn nicht einmal vermissen, wenn du ihn überhaupt nicht kennst", sagte Tisiphone und sprach Allises Gedanken aus.

„Entschuldigung?", fragte Allise und setzte sich auf eine überfüllte Chaise und schaute ihre Mutter an.

„Dein Partner. Dein Erzeuger war sicherlich nicht mein Schicksalgenosse. Er war ein schöner sterblicher Mann. Ein Winzer glaube ich. Er hat Wein auf den Markt gebracht, glaube ich. Ich habe mich als wunderschöne sterbliche Frau verkleidet, mir genommen was ich von ihm wollte, und jetzt habe ich dich."

Der Bogen von Tisiphones Braue deutete an, dass sie mit Allise vielleicht nicht ganz das bekommen hatte, was sie erwartet hatte.

„Ich weiß, aber ..." Allise versuchte Worte zu finden, um sich zu erklären.

„Allisandre, du weißt wie die Erinyes funktionieren. Unsere Verehrer beten uns an, bitten uns ihre kleinen und großen Sünden zu rächen. Wir wählen die sich lohnendsten Fälle aus und teilen sie unter uns auf. Bisher hast du nur acht Übeltäter niedergeschlagen. Zwei weitere hast du entschuldigt, und ich musste dein Chaos aufräumen. Ich verstehe, dass du halb sterblich bist, aber du kannst nicht zulassen, dass sich dein Mitgefühl in einen fatalen Fehler verwandelt."

„Was, wenn das Mitgefühl größer als die Rache ist?", schnappte Allise und sah ihre Mutter finster an.

„Wie soll das gehen, Tochter? Rache ist alles, was wir machen."

Allise öffnete ihren Mund, um zu widersprechen und zögerte dann und versuchte die richtigen Worte zu finden. Vielleicht wäre es besser, die Geschichte zu erklären, als offen mit ihrer Mutter zu streiten.

„Meine Aufgabe, der Mann der mein schicksalhafter Partner sein soll ..."

„Ja, ja", sagte ihre Mutter und wedelte mit der Hand. „So

finden alle Erinyes ihre Männer, so treffen sie die Entscheidung ganz an ihre Macht zu kommen."

„Naja, die Anbeterin, die uns um Rache gegen ihn gebeten hat, ist eine ehemalige Liebhaberin."

„Als sie zu uns gebetet hat, habe ich ihre Stimme so klar wie eine Glocke gehört, ihre Geschichte ist mir direkt ins Herz gegangen. Sie sagte, dass er ihr Herz gebrochen hat, dass er ein gefühlsloser Bastard ist, all diese Sachen. Aber ..."

Tisiphone schnaubte lachend.

„Du bist neugierig geworden", argwöhnte ihre Mutter. „Du wolltest etwas über diesen Mann wissen, diesen Menschen."

Allise spürte, wie ihre Wangen rot wurden.

„Ich wollte wissen, ob er so schrecklich ist, wie sie es dargestellt hat. Wie kann das Schicksal mich mit so einem Monster verkuppeln?"

„Und was hast du gefunden, meine Tochter?" Tisiphone neigte ihren Kopf, ein böser Hinweis an Belustigung lag in ihrer Stimme.

„Das Mädchen hat gelogen. Sie hat versucht ihn auszutricksen, mit ihm zu schlafen und ihm zu sagen, dass sie schwanger sei, obwohl es nicht stimmte. Er hatte sie abgewiesen und sie hat uns diese falsche Geschichte mitgeteilt. Wie kann das sein, Mutter?"

Tisiphone presste ihre Lippen aufeinander und ging durchs Zimmer, ihre Verlässlichkeit auf ihren Stock schien sie teilweise vergessen zu haben. Die alte Frau war genau das, ein Schauspiel; Tisiphone war weitaus stärker, als sie vorgab.

„Die Gerechtigkeit in unserer Welt fließt nur in eine Richtung. Allisandre. Unsere Anbeter rufen uns und wir rächen sie. Weiter gibt es nichts, kein Ausgleich von Waagen oder Verurteilungen darüber, wer recht hat und wer nicht. Wie oft muss ich das noch erklären?" Ihre Mutter hielt inne. „Du hast den Mann gesehen, dein Schicksal. Du findest ihn hübsch oder?"

Allise wurde noch röter. Sie war ihm gefolgt, das stimmte. Sie hatte sich in den Bäumen versteckt und beobachtet, wie er im Fluss badete, hatte die nackte Pracht des fremden Wikingers gesehen. Er war groß und muskulös und hatte einen intelligenten Blick und etwas an ihm zog sie an.

„Ja", gab sie zu.

„Schäm dich nicht, Allisandre. Er soll dich verführen. Das ist Teil des Rituals, das Opfern von etwas, was du wirklich willst. Du bist noch unschuldig, getäuscht von einem gutaussehenden Sterblichen. Das ist der Anfang deiner Erschaffung, dein Aufstieg zur Gottheit."

Allise öffnete ihren Mund, aber ihre Mutter hielt sie mit einer Geste auf.

„Du hast hier keine Wahl, Allisandre. Töte ihn und erhebe dich zu deinem vollen Potenzial oder du lässt Erebus für immer hinter dir. Du wirst keine ganze Erinye sein, solange der Mann lebt, du wirst immer schwach und mit Fehlern behaftet sein." Sie machte eine Pause. „Komm mit mir."

Ehe Allise noch zwinkern konnte, schnappte ihre Mutter ihre Hand und transportierte sie von ihrem Zuhause an den Toren der Unterwelt in die echte menschliche Welt, an einen Ort für den Allise sich schämte, ihn so gut zu kennen.

Sein Zuhause. Es war ein schlichtes Ein-Zimmer-Cottage, mit hellgrünem Moos auf dem Dach und einem fackelnden Feuer auf dem Herd. Er stand vor dem Feuer, ihr Wikinger, und starrte in die Flammen, als wenn sie die Geheimnisse der Welt preisgeben würden. Zeus Atem, aber er war wirklich schön; sein robuster Körperbau und seine gemeißelten Züge raubten ihr den Atem, obwohl sie kein einziges Wort miteinander gesprochen hatten.

Wenn sie ihn nur ansah, klopfte ihr Herz bereits. Allise bekam Panik, war unvorbereitet ihn zum ersten Mal in solchen Umständen zu treffen. Aber er schien es nicht zu merken, er nahm einen Schluck von einem Becher mit Honigwein und grübelte vor sich hin, während er auf das Feuer starrte.

„Ich habe es ganz einfach gemacht, meine Tochter. Er kann uns nicht sehen, er kann uns nicht hören. Nimm das", sagte ihre Mutter und hielt ein grausam aussehendes Messer aus Eisen hoch. „Beende die Aufgabe jetzt, genau jetzt. Er wird nicht klüger werden. Er ist sterblich, eine Handvoll Jahre werden für ihn keinen Unterschied machen."

„Nein", sagte Allise und ihr Magen brannte. Sie warf einen Blick auf ihn, ihr Herz klopfte ihr bis zum Hals. „Ich kann das nicht."

„Du musst. Wenn du schon keine Göttin werden willst, dann rette dein eigenes Leben. Du kennst die Regel. Wenn du ihn nicht tötest, dann wird er dich töten. Es ist unvermeidbar. Töte ihn jetzt", befahl ihre Mutter und überreichte Allise das Messer. „Nutze das Messer, nutze einen Fluch, was immer du willst. Sing für ihn, wenn du musst."

Sie bezog sich auf Allises besonderes Talent, eine Stimme in ihr, die auf die menschliche Welt losgelassen wurde, brachte Freude oder Tod oder alles andere, was sie sich wünschte. Sie hatte als Kind eine Stadt niedergerissen, als sie das erste Mal ihr tödliches Lied *gesungen* hatte. Allise biss die Zähne zusammen und versuchte das zu tun, was von ihr verlangt wurde. Sie hob ihre linke Hand und zog eine dunkelblaue Kugel aus Macht hervor und zog den

Willen hervor, ihn zu töten. Im letzten Moment, gerade als sie die Kugel auf ihn zuwarf, gab sie nach. Die Kugel flog und verwandelte sich in ein blendendes goldenes Licht, das alles in der dunklen Hütte beleuchtete. Als die Kugel ihn traf, konsumierte sie ihn wie Flammen, die auf einen trockenen Strohhalm trafen. Er schrie, seine Haut veränderte sich, aber er verbrannte nicht ...

Er *verwandelte* sich.

„Idiotin!", zischte Tisiphone und griff Allises Arm und zog sie weg. Sie flohen durch die Tür und konnten nichts anderes tun, außer zuzusehen.

Der Mann fiel auf seine Knie, krümmte sich, während sein Körper sich streckte und veränderte und sich verdoppelte, verdreifachte und vervierfachte an Größe. Während er schrie, platzten goldglitzernde Schuppen überall auf und bedeckten seine Haut, sein Gesicht veränderte sich in etwas Kaltes und Tierisches, seine Arme verlängerten sich, bis sie große Flügel wurden. Allise und Tisiphone wichen zurück, als sie größer und größer wurden und die Mauern des Hauses zerbrachen.

Allise zuckte zusammen, als sein Körper sich noch einmal veränderte und an seiner Stelle einen riesigen Drachen hinterließ, der aus heißer geschmolzener Goldfarbe war.

Ihr Fluch war angekommen, aber ihre Unsicherheit hatte ihn verändert. Ihn verwandelt. Sie hatte ihm eine ganz neue Form gegeben.

Der Drachen stieß ein Brüllen aus, Feuer spie aus seinem Mund, er war auf jeden Fall böse. Als die Bewohner des kleinen Dorfes auf die Straße zu strömen begannen, hob Allises Mutter ihre Hand und ließ einen Zauber los, sie machte das Dach weg und ließ den Drachen mit einem Flackern von blauem Licht entkommen. Als er weg war, lag der Mann auf dem Boden, auf einer Seite gekrümmt, nackt und zitternd.

„Schau ihn dir an, Tochter. Für das hast du dein Leben weggegeben. Das ist das letzte Mal, das ich fragen werde. Töte ihn jetzt, ehe er seine Stärke wiedergewinnt." Bei Allises verzweifeltem Ausdruck griff ihre Mutter ihren Arm und gab ihr einen harten Schubs. „Rette dich selbst! Diese Art mit dem du ihn verflucht hast, ist ein echter Fluch. Seine Art wird bis zum Ende der Welt gejagt, sie können nicht unter den Sterblichen leben. Und du kannst nicht riskieren, den Fluch zu beseitigen, oder dich selbst zu verlieren. Jede Erinnerung an alles was du liebst, wird aus deinen Gedanken entfernt."

Allise schüttelte ihren Kopf, ihre Gedanken wirbelten. Sie entzog sich dem Griff ihrer Mutter und wusste nicht, wo sie hin sollte, was sie tun sollte.

„Er wird dich nie wollen, Allisandre. Beende deine Aufgabe und komm nach Erebus zurück. Wähle den richtigen Ort", presste ihre Mutter zwischen den Zähnen hervor.

„Kann ich nicht", Allises Wörter fühlten sich wie Steine an, und verbrannten die zarten Bande zwischen ihnen. „Du musst ohne mich gehen. Ich werde einen anderen Weg finden."

„Du bist nicht meine Tochter", schwor ihre Mutter und verschwand mit einem Wirbeln ihres Mantels. Sie nahm den Fluch der Unsichtbarkeit mit sich, ein Talent, dass Allise noch nicht gelernt hatte. Neugierige Dorfbewohner starrten Allise an und auf den Glanz ihres silbernen Kleides und den subtilen silbernen Glanz ihrer Mondgöttinnenhaut. Sie schauten auf das ruinierte Cottage und wieder zurück zu Allise.

Hexe.

Sie hörte das Murmeln und wusste es würde nicht das

Letzte sein. Ihre Anwesenheit hier könnte die Dinge noch schlimmer machen. Wenn sie nur die Fähigkeit hätte, zu verschwinden und eine andere Person mit zu nehmen, so wie ihre Mutter ... aber Allise war noch unerfahren in dem Handwerk und ihre Mutter hatte viel von ihrer Lernerei abgeblockt.

Sie warf einen letzten Blick auf den Mann, der in dem niedergerissenen Haus lag, sah, dass er sie mit solchen strahlend blauen Augen ansah, dass es fast unerträglich war, zu widerstehen. Er schaute sie an, er sah wirklich bis ganz tief in sie und es brauchte alle Kraft in ihr, um sich umzudrehen.

Allise wischte eine Träne von ihrer Wange und schloss ihre Augen und flüchtete zu ihrem besonderen Platz, ein kleines Gehölz mit Bäumen in der Nähe einer Stadt an der Nordküste von Eire. Hier zumindest würde niemand ihre Magie infrage stellen. Zwischen den Faeries und den Druis die dort in blinder Wut umherliefen, würde niemand Allise für nicht zugehörig halten.

Hier würde sie ihr neues Heim bauen, ihr neues Leben.

Alleine.

1

---

*I*n seinen Träumen war Aeric wieder in der Höhle. Rationell gesehen wusste er, dass das nur ein Ort war, wo er vor langer Zeit ein paar Nächte verbracht hatte, ein enger dunkler Ort mit einem beheizten Pool, der aus einer heißen Quelle kam, die irgendwo tief in der Erde lag. Seine logischen Gedanken wussten, dass er seit hundert Jahren nicht mehr an diesem Ort gewesen war, nicht seit seinem letzten Besuch in der Türkei. Damals war er noch Teil des Byzantinischen Reichs gewesen, nicht so wie der radikale Nährboden, den Aeric heute in den Nachrichten sah.

Dennoch kannte sein Herz diesen Ort besser, als er sein eigenes Gesicht im Spiegel kannte. Er kam häufig in seinen Träumen hierher, denn hier traf er immer sie.

Helle, nannte er sie in seinem Kopf, was *göttliche Frau* hieß. Das Nächste zu einer Göttin, die auf der Erde lief, seit den glorreichen Tagen der strahlenden Freyja und Saga. Er kannte ihren Namen nicht, wusste nicht, wo sie herkam oder ob sie überhaupt außerhalb seines Kopfes existierte.

Alles, was er wusste, war, dass sie *ihm* gehörte.

Aeric ging über den feuchten Höhlenboden, ein Schauern sickerte durch seine nackten Füße. Wenn er hierherkam, war er immer nackt, so wie am Tag seiner Geburt. Er bewegte sich schnell zum dampfenden Wasser, glitt vor Zufriedenheit seufzend in die willkommene Hitze. Das Wasser reichte ihm fast bis zur Brust und er tauchte unter, um die Wärme auszunutzen und um ein wenig Spannung, die ihn während seiner wachen Stunden anspannte, loszuwerden.

Als er wieder an die Oberfläche kam, stand und Wasser von seinem Gesicht spülte, spürte er sie. Ein Knurren entwich seiner Kehle, während er sich umdrehte und sie direkt am Eingang der Höhle stehen sah, sie sah aus wie eine inkarnierte Sünde und Erlösung in einem hellhäutigen Paket. Helle stand mit einer Hand an der Hüfte da und beobachtete ihn mit großem Interesse. Ihr glattes Haar fiel ihr bis zu ihren Knien, wandte sich um ihren Körper und ihre haselnussbraunen Augen blitzten mit etwas wie Herausforderung. Sie war außergewöhnlich klein, all diese göttliche Macht gebündelt in 1,50m, ihre Figur so schmal, dass sie schon fast männlich aussah.

Aber dann waren da ihre spitzen, kecken Brüste. Die feine Kurve ihrer Hüften. Der plumpe Bogen ihrer Lippen, weite, moosige, braun-grüne Augen. Die Art wie ihre Zunge herausschnellte, um ihre Lippen zu befeuchten, während sie auf ihn zukam, ihr Körper schwang auf eine Art, die ihn schmerzlich hart werden ließ.

Helle war eine Frau durch und durch.

Es wurde keine Wörter zwischen ihnen gesprochen. Aeric hatte schon lange entdeckt, dass sie in diesen Träumen nicht mit Worten kommunizieren konnten, dass jegliche Versuche bei ihm in altnordisch oder bei ihr in altgriechisch endeten. Er versuchte es nicht mehr, sondern akzeptierte es als Regel ihrer Verabredungen.

Sie kletterte ins Wasser, ihre langen Haare glitten dabei nach oben und wickelten sich zu einem ordentlichen Haufen auf ihrem Kopf zusammen. Eine weitere Regel dieses Ortes schien zu sein, dass Helles Haare niemals nass wurden. Wer war er, das infrage zu stellen, wenn er mit solch einem Geschenk bedacht wurde?

Sobald sie in seinen Armen lag, drückten sich ihre Brüste und Hüften und Lippen gegen seine. Aeric verlor sich in der Umarmung. Sie schmeckte nach purem Moschus und Honig, ihr süßer weiblicher Geruch füllte jeden seiner Atemzüge. Ihre Lippen bewegten sich gegen seine, ihre Zunge neckte seine in einem neckischen Tanz. Eine seiner Hände war tief in ihr seidenes Haar gesunken, und griff ihren Nacken, die andere fuhr von ihrer Schulter über ihre Hüfte, ehe sie wieder hochfuhr, um ihre Brüste zu berühren.

Sie keuchte, biss sich auf ihre Lippen und lies ihren Kopf zurückfallen. Er knabberte und saugte an ihrem sensiblen Fleisch, während ihre Nägel sich in seine Schultern, seine Seite und seine Hüften bohrten. Nach ein paar Momenten umkreiste eine ihrer kleinen Hände seinen Schwanz und streichelte ihn intim, nach mehr suchend.

Aeric ließ seine Hände auf ihren geformten Hintern fallen, hob sie höher und stöhnte, als sie ihn in ihren Körper führte. Sie verbanden sich perfekt, tief und rau, Helle war begeistert, als er ihren unglaublich engen Schaft füllte. Ihr Atem ging schneller, als Aeric sie einfach so fickte, mitten im Pool, die Hitze des Wassers trug nur noch zur Intensität des Momentes bei.

Für einen Moment wünschte er sich, dass er sie noch

woanders nehmen konnte, im Bett vielleicht, dass er ihre Brüste drücken konnte, während sie auf ihm ritt, sich zurücklehnen und ihren Nektar schmecken konnte, während sie seinen Namen schrie und unter seinen Lippen kam. In der nächsten Sekunde verschwanden alle anderen Gedanken, während er sich in dem Gefühl mit ihr und der Hitze, die er nicht aus seinem Kopf bekam, verlor. Sie spannte sich an und schrie, klammerte sich an ihn, als sie kam, und zog ihn mit sich.

Als er kam, zitterte sein ganzer Körper von der Kraft davon, er lehnte sich nach hinten und füllte sie bis zum Rand, spritzte sein Sperma tief in ihren Körper. Sie rieb sich sanft an ihm, ihr Ausdruck zeigte Bewunderung, als ob sie alles wollte, was er hatte und noch viel mehr. So so viel mehr.

Ehe sie wegglitt, küsste Aeric sie hart und dann lehnte er seine Stirn gegen ihre und versuchte wieder zu Atem zu kommen.

Ich habe dich gesehen. Da auf dem Friedhof, ich habe dich gesehen, flüsterte er an ihre Lippen gedrükt, aber es kam in dieser alten, verloren gegangen Sprache heraus.

Sie lächelte lediglich und küsste ihn noch einmal. Ihre Zähne erwischten seine Oberlippe, sie biss so hart darauf, bis Aeric sein eigenes Blut spüren konnte. Helle berührte ihre Lippen, wo sein Blut floss, dann hielt sie ihre Fingerspitze hoch, damit Aeric es sehen konnte. Ein dunkler roter Fleck seines Bluts befand sich dort, dann verschwand es in einem Blitz von goldenem Licht.

Er warf einen Blick auf Helle, aber sie starrte ihn lediglich an, flehend. Bat ihn zu verstehen … aber was?

Nach einem Moment entzog sie sich ihm und trennte ihre Körper. Aeric hatte bereits Lust auf mehr, hart und innig, aber sie gab ihm nur einen nicht lesbaren Blick und warf ihm einen Kuss zu. Sie stieg aus dem Pool, bewegte sich mit der flüssigen Bewegung, die ihn wild machte. Die Schatten verschluckten sie im nächsten Moment und dann war sie weg.

Aeric schloss seine Augen und sank ins Wasser, er ließ sich von dem Traum hinunterziehen.

ALS AERIC DIE AUGEN ÖFFNETE, fand er sich in einem bequemen Bett wieder. Für einen Moment war er orientierungslos. Das war immer so, wenn er von *ihr* träumte; sie füllte seine ganze Welt, jagte jeden weiteren Gedanken weg, den er besaß. Wo war er noch einmal?

Er setzte sich auf und schaute aus dem Fenster, dann seufzte er. Prag. Natürlich. Er hatte Gerüchte gehört, dass Pere Mal eines seiner sicheren Häuser hier hatte, mit einem Schlupfloch, das einen seiner wichtigsten Vermögensposten enthielt. Leider hatte der gesprächige und betrunkene Hexenmeister, der ihm den Tipp gegeben hatte, falsch gelegen. Es gab ein sicheres Haus, ja. Es gab sogar ein Schlupfloch.

Aber als Aeric sich seinen Weg hineingekämpft hatte, und eine große Menge an magischer Kraft verschwendet hatte, nicht zu erwähnen ein paar lang versprochene Gefallen eingelöst hatte, gab es nichts weiter außer einem Zimmer mit blitzendem Gold und Schätzen. Als Drache hatte ihn der vergoldete Raum begeistert, und er wollte sich tief in die kühle Sicherheit vergraben, aber Aeric war nicht erfreut.

Genauso wie der Hexenmeister, der mitten in der Nacht von einem wütenden Drachen geweckt worden war, der seine Edinburger Wohnung füllte. Der Drachen hatte sich jetzt seit zwei Tagen breitgemacht und Aeric kleine

Einblicke in seine fieberhafte Suche nach ihr gegeben. Aeric wusste, er musste Fortschritte machen, und zwar schnell, damit er sich nicht ganz dem Drachen hingab.

Es wäre so einfach, den Drachen um die Welt reisen zu lassen, um nach seiner Partnerin zu suchen ...

Das Problem war das Finden. Wenn der Drache sie mit reinem Glück fand, dann war Aeric sich nicht sicher, was passieren würde. Er glaubte nicht, dass der Drache ihr schaden würde, aber Aeric konnte den Drachen nicht seine Partnerin markieren und beanspruchen lassen. Er würde ihr Todesurteil unterschreiben, genauso wie sein eigenes unterschrieben worden war, sobald er und der Drachen eins wurden.

Gejagt wegen ihrer magischen Fähigkeiten, nicht zu erwähnen, den riesigen Ozean an Schätzen, die sie versteckten, waren Drachen auf eine Art wertvoll, die Aeric eine Gänsehaut bekommen ließ.

Der erste Drachen außer ihm selbst, auf den er ein Auge geworfen hatte, war ihm auf einem Markt in Persien begegnet. Der Idiot war bereits erwischt worden und wurde sorgfältig ausgeschlachtet, Blut und Schuppen und Zähne wurden aus seinem Körper geholt und zum Verkauf gegeben. Sie hatten den Kopf aufgehoben, vielleicht um eine Art Trophäe für den König zu präparieren. Aeric hatte in die Augen des anderen Drachen geschaut und sich die ganze Zeit gefragt, ob das Biest überhaupt tot war oder lebendig seziert wurde.

Er hatte so ... lebendig ausgesehen.

Mit einem Schaudern zog Aeric seine Hosen hoch und begann sich anzuziehen. Das konnte nicht so weiter gehen, dass der Drache kam und ging, wie es ihm gefiel. Die Tatsache, dass er noch nicht entdeckt worden war und gejagt wurde, war erstaunlich. Es könnte von der Tatsache erklärt werden, dass er jede Nacht in einer anderen Stadt aufwachte, der Drache war wenigstens klug.

Naja ... der Drache war vielleicht noch schlauer als Aeric, um ehrlich zu sein.

Sie waren einer im Ganzen, aber der Drache hatte eine Art kühle und berechnete Rücksichtslosigkeit, eine hartnäckige Beharrlichkeit, seine Ziele ohne Rücksicht auf seine Sicherheit oder das Leben von anderen zu erreichen.

So sehr er auch den Traum feierte, in denen sie ihm erschien, war es nicht mehr ausreichend. Den Drachen jagen zu lassen war nicht ausreichend, nicht annähernd.

Er brauchte eine besondere Art von Fähigkeiten, die nur in einem echten Orakel gefunden werden konnten und zufällig kannte er eins. Gabriel, einer seiner Guardians hatte ein Orakel als Partnerin genommen. Obwohl Aeric sich keine Illusionen machte, dass die Guardians nach seiner langen Abwesenheit und seinem wirkungsvollen Abbruch seines Vertrags mit Mere Marie erfreut wären ihn zu sehen, blieb ihm keine andere Wahl.

Er musste auf Knien zur Voodoo Königin zurückkehren, wenn das hieß, dass er eine Chance hatte, *sie* zu finden. Er würde alles tun, nur um ...

Was? Sicherzugehen, dass sie in Sicherheit war? Sie in irgendeinem sicheren Haus von ihm verschanzen? Sie einsperren wie einen wunderschönen, seltenen Vogel?

Er musste nicht lange überlegen. Er musste sie zuerst finden und dann würde sich alles finden. Aeric war jetzt schon mehr als Tausend Jahre lebendig und bis jetzt hatte er gelernt, das Schicksal zu akzeptieren.

Widerstand war vergeblich, wie das Sprichwort sagte.

Er glitt aus dem Raum und ging aufs Dach, bereit sich zu verhüllen und loszufliegen. Er konnte nur hoffen, dass sein Drache dabei die Führung übernahm und ihn über den Ozean nach New Orleans trug.

Zum ersten Mal nach unzähligen Jahrhunderten würde Aeric Drekkon um Hilfe bitten.

WÄHREND ER ÜBER LOUISIANA ABSANK, war Aeric überrascht, seinen Bären aufsteigen zu fühlen. Der Drache hatte Aeric mehr Bewusstsein verliehen, als man normalerweise während des ganzen Flugs hatte. Als er hungrig und müde in die Nähe von New Orleans kam, war der Drache zurückgewichen, um den Bären an die Oberfläche kommen zu lassen, wenn auch nur kurz. Anders als der Drache, der als nahtloser Teil von Aeric funktionierte, war der Bär eine erworbene Form, das Ergebnis einer einjährigen Studie unter einem afrikanischen Magier, der sich auf Formenwandlung spezialisiert hatte.

Wissend, dass seine Drachenhälfte eine unmissverständliche Aura an Macht und Magie ausstieß, hatte Aeric lange Zeit nach einer guten Tarnung gesucht, um neugierige Zauberer in Schach zu halten. Alle Kith waren sich auf einigen Ebenen der Macht von anderen bewusst, das war die Natur der paranormalen Gemeinschaft. Sich als Bär verwandeln zu können, war Beweis genug für die meisten, dass Aeric nur ein sehr mächtiger Bärverwandler war und es hatte ihm bei einigen heftigen Meinungsverschiedenheiten geholfen, wo der Drache nicht ausbrechen und sie beschützen konnte.

In letzter Zeit hatte Aeric seinen Bären nie länger als für einen guten Lauf herausgelassen und erst recht nicht für eine Jagd. Der Bär kam ab und zu, neugierig auf ihre Partnerin, er war eifrig dabei, sich in Flüsse zu stürzen und Fische zu fangen und all die sorglosen Dinge zu tun, die ein Bär liebte.

Aeric versuchte den Bär zu besänftigen, ihn wissen zu lassen, dass er schon bald unter seinesgleichen wäre. Die Guardians waren hauptsächlich Bärenverwandler und schon bald würde es eine schnelle Wanderung in das Cajun-Gebiet geben, wo die Bären herumtollen und brüllen konnten. Aeric behütete seinen Bär, ein harter Kampf der Magie, der sich tief in seiner Persönlichkeit festgesetzt hatte. Der Bär beschützte ihn davor, entdeckt und gejagt zu werden und er bat nicht um viel als Gegenleistung. Im Vergleich zum Drachen war der Bär praktisch sanft.

Das hieß, dass der Bär ihn auch schon in Schwierigkeiten gebracht hatte. Als er die Stadtlichter von New Orleans sah, erinnerte er sich an seine Rekrutierung für die Alpha Guardians. Er hatte versucht ein Mädchen aus dem Dorf davor zu retten, vergewaltigt und vermutlich auch getötet zu werden und sie hatte sich gegen ihn gewandt, als sie seinen Bären gesehen hatte. Die Dorfbewohner waren mit Mistgabeln, Fackeln und dem ganzen Drum und Dran gekommen.

Dann war Mere Marie aufgetaucht und hatte ihm angeboten, sein Leben zu retten und Aeric war in keiner Situation gewesen, um das abzulehnen. Der Zeitsprung in die Moderne war ein recht großer Schock gewesen, aber nicht allzu verstörend. Der Drache konnte durch die Zeit reisen, auch wenn es eine große Menge an Macht dazu brauchte; Aeric nutzte es nur für dringende Situationen. An dem Punkt, wo Mere Marie ihn rekrutiert hatte, hatte Aeric geglaubt, dass mit der Zeit reisen nur noch mehr Menschen bedeutete, mehr Möglichkeiten, dass seine wahre Natur entdeckt wurde. Er hatte sich bewusst dazu entschieden, niemals über sein natürliches Leben hinauszugehen.

Die Pläne hatte sich geändert und das recht schnell. Aeric steigerte seinen Tarnzauber, um sich völlig unsichtbar zu machen, und sauste über die Stadt. Der Superdome blendete ihn, die goldenen und grünen Lichter schienen hoch nach oben.

Nicht alle neuen Technologien waren schrecklich, das wusste er. Immerhin war er ein fanatischer Saints Footballfan und schaute jedes Spiel auf einem riesigen Fernseher mit einer sorglosen Freude, die er seit seiner Kindheit nicht mehr gespürt hatte.

ER FLOG AM ST. Louis Friedhof #1 vorbei und versuchte nicht hinzuschauen. Seine letzte Erinnerung an den Ort war nicht so schön, der Moment, als er seine Partnerin hilflos auf dem kalten Boden liegen sehen hatte, bewusstlos und Gefangene von Pere Mals Launen. Er hatte sie sofort erkannt und dann war da ihr Duft gewesen …

Der Honig-Salbei-Duft war unverkennbar. Er kannte ihn aus seinen Träumen und ab und zu dachte er sogar, er fühlte ihn beim Aufwachen. Er lebte wahrscheinlich nur in einem Wachtraum, aber dennoch. Es machte ihn verrückt, ließ ihn in Kreisen laufen, wenn er *sie* in der Brise roch.

Er landete mit einem mächtigen Donnern im Hinterhof des Landguts und brachte damit alle Guardians in weniger als einer Minute nach draußen.

„Und ich habe gedacht, vielleicht hat eine Streunerkatze den Schutzzauber zerstört", sagte Mere Marie, sie war in ihre gewöhnliche lavendelfarbene Robe gekleidet und hielt ihre merkwürdige Katze Cairn in ihren Armen.

„Das ist eine andere Art Streuner, glaube ich", murmelte Cairn und bekam einen Blick von Aeric.

„Wo zum Teufel warst du?", fragte Gabriel, seinen Arm um seine Partnerin gelegt.

Die schöne Cassie war sichtbar schwanger, ihre Hand legte sich in einer beschützenden Geste auf ihren Bauch.

„Gabe, sei nett", ermahnte ihn Cassie.

„Ja, okay, lass es raus", Aeric winkte Rhys zu. „Und was macht Asher noch hier?"

„Er hat dich tatsächlich ersetzt", sagte Rhys. Der große Schotte verschränkte seine Arme, Ungeduld mischte sich in seinen Ausdruck. „Das ist seine Partnerin Kira, falls du nicht fragen wolltest. Du bist nicht gut darin, um Erlaubnis zu fragen, wie ich festgestellt habe."

Mere Marie hielt eine Hand hoch und beruhigte die Guardians, aber Rhys Partnerin Echo schien nicht allzu besorgt zu sein.

„Ich bin froh, dass du zurück bist", sagte Echo und warf ihm ein Grinsen zu. „Rhys braucht ein paar Nächte frei. Ich war schon seit Ewigkeiten nicht mehr auf einem Date."

Asher und seine Partnerin schienen sich beide zu beruhigen und lachten und Mere Marie schnaubte.

„Also? Hast du eine Erklärung?", forderte Mere Marie.

„Ich suche das Mädchen vom Friedhof", sagte er und versuchte absichtlich seine Reaktion beiläufig zu halten.

„Deine Partnerin meinst du?", fragte Cassie, dann drückte sie ihre Finger auf ihre Lippen.

Aerics überraschter Ausdruck ließ sie zusammenzucken. „Tut mir leid, ich wollte nichts verraten. Ich bekomme nur Visionen ab und zu diese Tage."

Sie rieb ihren Bauch und gab ein entschuldigendes Schulterzucken.

„Hast du sie gesehen?", fragte Aeric und ließ sein kühles Auftreten verschwinden.

„Alice", warf Echo ein. „Ihr Name ist Alice. Cassie kennt sie."

Etwas in Aerics Brust zog sich zusammen. *Alice.* Wie perfekt.

„Ich ... ich brauche keine Partnerin, aber ich will wissen, ob es ihr gut geht", sagte Aeric und seine Stimme brach. „Ich kann mich nicht niederlassen, bis ich weiß, dass sie von Pere Mal befreit ist und ich alle meine anderen Wege erschöpft habe."

„Du solltest hineinkommen", sagte Kira und kräuselte ihre Nase. „Wo du gerade erschöpfst sagst, so siehst du auch aus. Komm rein und wir finden einen Weg, okay?"

Mere Marie schnalzte mit ihrer Zunge, dann drehte sie sich um und ging hinein. Der Rest der Gruppe folgte ihr und ließ Gabriel und Aeric übrig. Gabriel schlug Aeric auf den Arm.

„Ich wusste, du würdest zurückkommen", sagte der Brite mit einem Grinsen. „Ich habe nicht daran gezweifelt."

Aeric zog eine Augenbraue hoch und folgte ihm amüsiert hinein. Er selbst war sich um überhaupt nichts auf der Welt sicher.

Wenn ein Mann wie er Freunde hätte, dann nahm er an, waren seine ziemlich treu.

2

„*A*eric, wach auf."

Aerics Augen öffneten sich. Asher stand ein paar Meter von ihm entfernt und wippte unruhig auf seinen Füßen vor und zurück. „Wie spät ist es?", fragte Aeric. Man würde glauben, Teil der Macht und Mystik ein Drachen zu sein, würde nicht beinhalten einen Jetlag zu bekommen, wenn man über Kontinente flog, aber das war falsch. Im Moment war alles, was Aeric wirklich wollte, zwei oder drei weitere Tage schlafen, einfach ein paar Monate wertvollen Schlaf aufholen.

„Du hast dich erst vor sechs Stunden hingelegt, aber Mere Marie konnte Alices Lage feststellen und ...", wollte Asher fortfahren, aber Aeric hatte den Faden des Gesprächs verloren, während er aufstand und ein T-Shirt anzog.

Alice. Mehr musste man ihm nicht sagen.

„Wo ist sie?", fragte Aeric, während er seine Schuhe zuschnürte, und Ashers Geschichte das Wort abschnitt.

„Pere Mal hat ein Schlupfloch in einem Restaurant in New Orleans Osten", sagte Asher und ignorierte Aerics völligen Mangel an Benehmen. „Wir sind nicht sicher, was da auf uns zukommt, um ehrlich zu sein. Wir haben uns auf eine Anzahl von Szenarien vorbereitet."

„Wann gehen wir?", fragte Aeric und folgte Asher auf den Flur und die große Treppe herunter.

„Rhys und Gabriel machen sich im Fitnessraum bereit. Sobald wir alle bewaffnet und bereit sind, gehen wir los. Mere Marie kommt auch mit, um den Schutzzauber im Schlupfloch auszustellen und Duverjay wird sie bewachen, während wir drinnen sind."

Aeric nickte und trottete durch den ersten Stock der Villa und in der abendlichen Dämmerung über den Hinter-hof. Aerics Kinnlade fiel für einen Moment runter, als er Mere Marie in einer Miniaturversion der schwarzen takti-schen Ausrüstung sah, welche die Guardians bevorzugten: Kevlar Weste, Hosen mit viel Taschen und schwere Stiefel. Sie hatte sogar eine schlanke Waffe an ihrer Hüfte, obwohl sie das Breitschwert oder die Katanas, die Rhys und die anderen Wächter normalerweise trugen, übersprungen hatte.

Mere Marie grinste bei seinem schockierten Blick und verschränkte ihre Arme.

„Was? Damen können auch auf Mission gehen, weißt du."

Aeric hielt eine Hand hoch, er wollte nicht mit Mere Marie diskutieren. Die Hexe hatte eine schärfere Zunge als jedes Messer und es lag ihm fern, so eine mächtige Verbün-dete zu verärgern. Er vertraute ihr gerade genug für die Mission, und das war alles, was er im Moment brauchte.

„Beeil dich", schimpfte Rhys und sah aus, als ob er selbst ein paar Stunden Schlaf gebrauchen könnte.

Aeric und Asher zogen sich in Rekordzeit an und schon bald war die ganze Crew bis zu den Zehenspitzen bewaffnet. Sie luden alles in einen rostigen, fensterlosen blauen

Wagen, auf dem *Trans Dry Cleaning* auf der Seite stand. Duverjay setzte sich ans Steuer. Die Fahrt in den Osten von New Orleans war sehr angespannt, aber Gott sei Dank kurz und schon bald hielt Duverjay vor einem zerfallenen Backsteingebäude, wo CAJUN SEAFOOD über dem sich schälenden Metallschild geschrieben stand.

Mere Marie schnalzte mit ihrer Zunge bei dem Anblick des Ortes und zog einen Zauberstab aus ihrer Tasche. Sie schloss ihre Augen und murmelte eine Reihe von undeutlichen französisch klingenden Wörtern, sie begann, den Zauberschutz um den Ort herunter zu ziehen.

„Wir bleiben hier", informierte Duverjay sie, und pickte einen Fussel von seinem Anzug. Selbst bei dieser ernsten und potenziell gefährlichen Mission trug der Butler immer noch seinen gewöhnlichen Tuxedo zusammen mit einem langen Frack.

„Okay", sagte Rhys. „Dann lass uns einbrechen und eintreten, oder?"

Gabriel schob die Schiebetür des Autos auf und sie stiegen alle aus, liefen auf den Bürgersteig und liefen zu einer Stelle an der Vordertür. Mit dem Rücken gegen die Wand gepresst folgten sie Rhys Führung, während er stand und achtsam lauschte.

„Verlassen", flüsterte er der Gruppe zu. „Es gibt auch keinen Wachmann. Sie müssen sich darauf verlassen, das Schlupfloch regelmäßig zu wechseln. Das macht Sinn, da wir in letzter Zeit ein paar seiner hochrangig sicheren Häuser zerstört haben."

Auf Rhys Signal schwang Aeric die klapprige Metallvordertür auf. Das Ding hing fast aus dem obersten Scharnier und ein einzelner Tritt ließ es nach innen fallen. Aeric übernahm die Führung. Er war sich bewusst, dass er der einzige

Guardian war, der nicht viel zu verlieren hatte, da alle anderen bereits glücklich verpartnert waren.

Innen schien keine Gefahr zu sein. Das Haus schien einmal eine Art Minimarkt und Takeout Restaurant gewesen zu sein, aber jedes Regal war leer, der ganze Laden war auffallend sauber gewischt. Am Ende, gerade dort, wo das Essen vielleicht einmal hinter einer sich biegenden Formica Theke serviert worden war, gab es einen statischen grauen Lichtfleck, der in ein typisches Schlupfloch führte. Ungefähr 1,50 m im Durchmesser zog es Aeric wie ein Magnet an.

Alice.

Ihr Name lag ihm auf der Zunge, während er sich vorwärts bewegte, er konnte kaum abwarten, bis die anderen Guardians aufholten, ehe er sich durch das Portal drückte. Es gab einen kurzen Moment eines kribbelnden Freifalls, ehe Aeric in eine blendend weiße Welt trat, alles war aus Eis und Schnee und Licht. Die überraschten Wachmänner taumelten auf die Guardians zu und zwei von ihnen fanden ihr Ende durch das Schwert, ehe er noch ein paar weitere Atemzüge beenden konnte. Gabriel erwischte den dritten Wachmann und zwang ihm auf seinem Bauch im Schnee zu liegen, anstatt ihn zu töten

Aeric war das egal. Ein paar Schritte weiter befand sich eine hohe weiße Birke, und darunter lag ein weißer Steinsockel mit einer schwach glühenden Glaskugel. Als er näherkam, erkannte Aeric, dass es ein Sarg war, nicht aus Glas gemacht, sondern aus dem dünnsten Eis. Unter dem Glas lag ganz still, wie ein einsamer Schmetterling, der vor langer Zeit gesammelt wurde, Alice. Ihre winzige Figur war in ein dünnes weißes Kleid eingewickelt, ihre Hände waren über ihrem Bauch gefaltet und ihre Augen in friedlichem Ausdruck geschlossen.

„Nein!", entwich es Aerics Kehle, während er sich in ihre Richtung warf. Als er nahe genug dran war, um sie anzusehen, lehnte er sich hinunter. So sanft, so leicht, dass es fast nicht bemerkbar war, kamen sanfte weiße Atemzüge aus ihrer Nase. Jeder Atem kam quälend langsam und bildete hundert winzige Schneeflocken in der Luft: Im nächsten Moment zersetzen sie sich und waren weg, warteten auf den nächsten Atemzug.

„Aeric –", versuchte Gabriel ihn zu warnen, aber Aeric hatte seine Faust bereits auf den Eissarg geschlagen.

Das Eis war überraschend robust, ein dünnes Netz aus Rissen verbreitete sich von dort, wo seine Faust gelandet war. Während er zusah, zogen sich tausend widerspiegelnde Risse über Alices Haut, silberne Splitter, die einen alarmierenden Schauer über Aerics Rückgrat jagten.

„Hör auf!", sagte Gabriel und zog Aeric einen halben Schritt zurück. „Es ist ein Fluch. Den kannst du nicht körperlich brechen."

Rhys und Asher gingen im Kreis und beobachteten die verschneite Landschaft um sie herum.

„Wie kann ich sie befreien?", fragte Aeric und Panik setzte sich in seiner Brust fest. Sie so nahe bei sich zu haben, nur Zentimeter von seiner Berührung entfernt, brach ihn innerlich.

„Es gibt eine Inschrift", sagte Gabriel. Er streckte seine Hände aus und berührte eine Stelle auf dem Sargdeckel, was dazu führte, dass ein Satz magisch geätzter Wörter hell gegen das Eis flammte. „Verdammt ich war noch nie gut in Alt-Abessinisch"

Gabriel ließ seinen Finger missbilligend über die Wörter fahren.

„Ah ... es ist ein Energiefluch. Weißt du, was für eine Art Magie sie hat?", fragte Gabriel und schaute hoch.

„Nein", gab Aeric zu. „Ich kann ihre Aura fühlen, etwas Dunkles und Starkes ... aber nichts weiter."

„Was immer es ist, Pere Mal nährt sich an ihr. Das macht der Fluch, er hält sie und entzieht ihr ihre Magie. Ich kann ihre Unruhe fühlen", sagte Gabriel und breitete seine Hand einen Meter über den Sarg aus, sein Mund war zu einer grimmigen Linie verzogen. „Sie versucht zu flüchten, glaube ich. Vielleicht fühlt sie deine Anwesenheit?"

„Die Träume...", murmelte Aeric.

„Was?"

„Sie ist in meinen Träumen zu mir gekommen, aber sie kann nicht sprechen, sie kann nichts tun, außer dieselbe Szene immer und immer wieder zu spielen."

„Sagt sie dir etwas in deinen Träumen? Vielleicht eine Geste –", fragte Gabriel, aber Aeric war bereits zwei Schritte voraus.

„Blut", sagte Aeric und dachte an seine Träume. „Sie zieht Blut."

Aeric zog sein Schwert aus der Scheide und nutzte die Klinge des Schwerts, um einen dünnen Schnitt über seine Handfläche zu schneiden. Strahlendes rot, spritzte und tropfte auf die eisige Fassade des Sargs. Das Blut wurde vom Eis aufgefangen und verbreitete sich sofort, zerschmolz das Eis, aber ließ das Opfer unangetastet.

Sobald es so viel geschmolzen war, dass er sie aus dem Sarg nehmen konnte, zog Aeric Alice in seine Arme. Ihre Augen öffneten sich und waren das schönste Haselnussbraun, das man sich vorstellen konnte, sie hatten schon fast die Farbe von weichem Torfmoos und frisch bearbeitenden Böden. Als ihr langes Haar nach hinten fiel und ihre Blicke sich trafen, schmerzte etwas in Aerics Magen.

Meins.

Zum ersten Mal in seinem Leben waren der Bär, der Mann und der Drache in perfekter Harmonie.

Ihre Lippen teilten sich zu einem Keuchen, während sie einen tiefen Atemzug nahm, erschrocken und ganz allerliebst. Ihre Wangen wurden rot, als ihre Arme sich um seinen Nacken schlagen und ihre Augen sein Gesicht suchten.

„Alice", flüsterte er.

„Du hast mich gefunden", flüsterte sie.

Dann brachte sie ihren Mund zu seinem, ihre Lippen suchten Halt. Aeric konnte sich nicht in Schach halten und küsste sie hart und schnell und stöhnte bei ihrem Geschmack. Wie Honigtau, nur tausend Mal besser als alles, was er sich in seinem Kopf vorgestellt hatte. Ihre Lippen bewegten sich an seinen, ihre Fingerspitzen kneteten seine Nacken, während sie sich an ihm festhielt.

Partnerin.

Bei den donnernden Rufen seines Bärs und seines Drachens löste Aeric endlich seine Lippen von ihr und zog sich ein wenig zurück. Er starrte in ihre weiten, dunklen Augen. Er spürte das Gewicht der Blicke der anderen in seinem Rücken und wünschte sich nichts Weiteres, als mit ihr alleine zu sein, aber zuerst musste er sie in Sicherheit bringen.

„Bald", versprach er und zu seiner Überraschung nickte sie nur.

Als ob sie ihn perfekt verstand. Als ob zwei perfekte Fremde bereits genau synchron sein konnten.

Was immer Alice für ihn war, Aeric verstand eine Sache: er hatte sich viel zu lange ihrer Gesellschaft beraubt, und er wollte jetzt kein Risiko mit ihr eingehen.

„Nach Hause", warf er Gabriel über die Schulter zu.

Rhys und Asher kamen zu ihm und folgten ihm in Richtung Schlupfloch, bereit, Alice um jeden Preis zu verteidigen. Ihr Schutz war reine Loyalität und Ehre, genauso wie Aeric es gewesen war, während er ihre entsprechenden Partner beschützt hatte.

Mit einem Mal konnte Aeric ihre Dienste wirklich zu schätzen wissen. Zum ersten Mal in seinem Leben hatte er etwas, was sich zu beschützen lohnte.

3

*I*hr Guardian war endlich gekommen.

Obwohl sie eine Sterbliche war, die Tausende von Sonnenaufgängen und Untergängen gesehen hatte, hatte Alice einen Tag wie keinen anderen. Seit Monaten hatte sie Träume ... Träume von *ihm,* Träume von ihrer Mutter Tisiphone, Träume von ihrem langjährigen Haus in Erebus. Sie hatte zu lange in dem Sarg geschlafen, ihr Selbstbewusstsein verschwand, bis alles, was sie kannte ihre Träume und ihr Herzschlag waren, langsam, schwach und beständig.

Dann kam wieder Luft in ihre Lungen, Wärme füllte ihre Venen. Ein paar starke Arme hoben sie hoch. Sie öffnete ihre Augen ...

... und es war *er.*

Welliges, blondes Haar, lang genug, dass er es an seinem Nacken zusammengeknotet hatte. Stechende blaue Augen in der Farbe eines Wintermorgens. Kantige Wangenknochen, ein sinnlich voller Mund, zwei gleiche Augenbrauen, die seinen Blick noch intensiver machten. Eine Art goldenes Glühen, das von seiner Haut strahlte, ein Teint, den jeder moderne Mensch beneiden würde, obwohl Alice die Wahrheit kannte. Es war seine Aura, sein Drache, seine Macht, die ihn glühen ließ.

Dann presste sie ihre Lippen auf seine und erfüllte damit lebenslange Fantasien. Ihn zu küssen, war schlicht der perfekteste Moment, den sie bis jetzt erlebt hatte. Sie hörte ihren Namen von seinen Lippen. Er trug sie eng an sich gedrückt bis zu seinem Zuhause, einer riesigen Villa, die er Landgut nannte.

Alice wusste bereits alles über das Landgut, da sie Aeric seit Jahrhunderten verfolgte. Sie hatte ihn verloren, nachdem sie den Drachenfluch auf ihn gelegt hatte, aber hatte ihn wieder gefunden, als die Vodoo Hexe Mere Marie einen Fluch genutzt hatte, um Aeric durch Zeit und Raum zu bringen und ihn nach New Orleans zu führen. So ein Fluch brauchte ziemlich viel Macht und es war unmöglich, das ungesehen geschehen zu lassen. Zum Glück für Alice hatte sie nach genau so etwas Ausschau gehalten.

Und jetzt war er hier in echt.

In ihrem Alter hatte Alice sich in dieser Droge verloren und das über Jahrzehnte und hatte in ihr ein wenig Wärme in den kältesten Nächten gesucht. Die Leute ihrer Mutter, die Griechen hatten besonders Drogen und Getränke geliebt, oftmals schlürften sie Honigwein gewürzt mit Mohn. Die Euphorie war süß, aber kurz, obwohl Alice sich daran erinnerte, gedacht zu haben, dass sie verstehen konnte, warum Menschen von dem Zeug abhängig wurden.

Nichts davon war mit dem Gefühl zu vergleichen, als der Drache sie endlich berührte. Sie verschlang ihre Finger mit seinen, starrte ihn mutig an und sog mit großen Zügen seinen Duft ein. Er roch nach Wärme und Gewürzen, Amber und Myrrhe und eintausend exotischer und unbekannter Dinge, die Alice bis ins Innere erregten. Direkt dort, wo ihre Fingerspitzen sich gegen seine Haut drückten, dachte sie, konnte sie schon fast Elektrizität zwischen ihnen fühlen, der Beginn von etwas Neuem und Zartem, aber beängstigend stark.

Die Autofahrt verlief ruhig. Alice konnte sehen, dass Aeric viel sagen wollte, aber er schaute weiterhin auf die anderen Männer im Auto, als wenn er nichts sagen konnte. Solange sie sich berührten, schien es keinen Grund zu geben zu sprechen, sich dem anderen zu erklären, denn sie konnte sehen, dass er genauso nervös und aufgeregt war, wie sie selbst, aber er schien einen klaren Kopf zu bewahren.

Alices Mund zog sich nach unten, als sie erkannte, dass er sich natürlich ruhiger fühlen würde als sie. Er hatte gerade seine Lebenspartnerin gefunden, in einer aufregenden Wendung von Ereignissen. Für Alice war es viel mehr; das Zeichen, dass sie ihre letzten Tage erlebte. Für Furien war die Ankunft ihres zugewiesenen Partners der letzte Akt ihres langen Lebens.

Sie hatte das Unvermeidliche einmal herausgezögert, sie hatte ihn in einen Drachen verwandelt, anstatt ihn völlig zu töten, sie hatte sich geweigert ihm zu zeigen, wie sehr er sie berührte. Aber jetzt schien es, als wenn Alice Frieden mit dem Unvermeidlichen machen müsste, denn das Schicksal war ihr jetzt dicht auf den Fersen.

Sie schaute Aeric an, als ihr Auto auf eine wunderschöne Straße fuhr, gesäumt mit großen alten Eichen, jede triefend mit spanischem Moos. Die Häuser waren groß, sprachen von Geld, das bis in die Gründungzeit der Stadt New Orleans zurückreichte. Alice dachte, dass die Stadt eine wunderschöne Kulisse für Aeric machte, ausreichend dramatisch für einen Mann der fast 2m reine Bedrohung war, die mit rauer Sinnlichkeit überzogen war.

Als sie vor dem mehrstöckigen Landgut zum Stehen kamen, wo die Guardians lebten, stiegen alle aus dem schlichten schwarzen SUV. Alice zog an Aerics Hand und zog ihn ein paar Schritte zurück, während die anderen Guardians die Vorderstufen hochliefen.

„Du musst keine Angst haben", sagte Aeric, das tiefe Rumpeln seiner Stimme verursachte ihr eine Gänsehaut. „Hier lebe ich zusammen mit den anderen Männern, die dich gerettet haben. Ich erzähle dir bald mehr von den Guardians."

Er drückte ihre Finger und ließ Alices Herz wild hämmern, ihre Zunge verdrehte sich in ihrem Mund.

„Wo können wir uns unter vier Augen unterhalten?", fragte sie und ihre Wangen wurden rot. Sie hatte auf ihren Lippen einen kleinen Vorgeschmack auf ihn bekommen, in Pere Mals Gefängnis, und sie verzehrte sich nach mehr. „Ich habe Informationen über Pere Mal."

Aeric zog eine Augenbraue hoch.

„Woher weißt du, dass die Guardians Pere Mal jagen?", fragte er neugierig.

„Ich habe alle meine Informationen von Cassie erhalten, ehe sie befreit wurde. Dann als Pere Mal den Schlaffluch auf mich gelegt hat", sie hielt inne und schauderte, „habe ich von dir geträumt, ich bin dir über die ganze Welt gefolgt und habe deinen Drachen fliegen sehen."

Aerics Ausdruck war unleserlich. Er drückte wieder ihre Finger und schüttelte sanft den Kopf.

„Wir müssen uns mit dem ganzen Guardian Team treffen, uns besprechen und so viele Informationen wie möglich von dir bekommen. Ich würde sagen, dass du den anderen nichts über ..." er hielt inne und seine Augen zwinkerten, „die Träume erzählst."

Alice spürte, wie sich ihre Lippen in ein Lächeln verwandelten. So geheimnisvoll, ihr Drache.

„Natürlich", sagte sie und senkte ihren Kopf.

„Lass mich dir die Gruppe vorstellen. Und dann bekommst du ein wenig geeignetere Kleidung", sagte er und schaute die dünne weiße Stoffschicht an, die sie trug.

Alice wurde wieder rot, aber mehr vor Lust, als vor Scham. Sie hatte zu lange in diesem Körper gelebt, um ihn zu verstecken, aber es gefiel ihr, dass Aeric sie unter Verschluss halten wollte. Da war sexy an dem Mann, der das begehrte, was er bereits besaß.

Das Landgut selbst war wunderschön, ein echtes Kunstwerk, mit einwandfreiem Design. Das Foyer bot einen luftigen Raum mit mehreren Stockwerken, vollständig mit einem umwerfenden Kristallkronleuchter. Alice folgte Aeric durch den Eingang und in einen büroähnlichen Raum mit einem großen Eichentisch.

Ein bekanntes Gesicht erwartete Alice dort.

„Cassie!", schrie sie und entdeckte den verräterischen roten Haarschopf ihrer Freundin.

„Oh, Alice!", sagte Cassie und umschlang Alice. Alice umarmte sie ebenfalls, dann zog sie sich vor Überraschung zurück, als sie den runden Bauch ihrer Freundin spürte.

„Bist du ...?", keuchte Alice.

Cassie wurde rot und nickte lachend.

„Ja. Ein kleines Mädchen, ein Orakel so wie ich." Cassies Grinsen war unwiderstehlich.

„Das ist wunderbar! Ich bin so froh dich in Sicherheit zu sehen. Ich konnte dich nicht in der Kristallkugel sehen", gab Alice zu.

„Ich habe ein wenig hier, und da von dir gehört, aber nicht genug, um dich zu finden. Das tut mir leid", sagte

Cassie und weinte plötzlich. „Oh und ich bin ein wenig emotional in letzter Zeit, wie du sehen kannst."

„Denk nicht darüber nach", ermahnte Alice sie. „Alles ist genauso gekommen, wie es sein sollte. Jetzt bin ich ja hier."

Cassie lachte unter Tränen und nickte. Sie schaute hinüber, wo Aeric und Rhys sich leise unterhielten. Cassie zog eine Augenbraue hoch und war offensichtlich neugierig.

„Ich weiß auch nicht mehr als du", seufzte Alice. „Ich meine ... naja ... ich wusste seit Jahrzehnten, dass er existierte, aber ich kannte ihn nicht."

Sie wurde ein wenig rot bei der Erinnerung des einzigen Weges, wie sie ihn kennengelernt hatte, durch eine lange Reihe von grafischen und sinnlichen Träumen, die an einem Ort passierten, an dem sie noch nie gewesen war, mit einem Mann, den sie bis heute noch nie angefasst hatte ...

„Du bist verliebt!", erklärte Cassie flüsternd und sah empört aus.

„Ich –naja –". Alice war sich nicht sicher, was sie dazu sagen sollte.

„Hier", unterbrach Aeric sie und erschien mit einer Wolldecke, die er über Alices Schultern legte. „Ich denke, wir werden gleich mit der Besprechung beginnen."

„Wir reden später", sagte Cassie und warf Alice einen bedeutungsvollen Blick zu, ehe sie zu einem großen dunkelhaarigen Mann schlenderte, der ihr einen Kuss auf den Kopf gab.

„Gabriel", sagte der Mann und gab Alice die Hand. Alice nahm sie und alle Haare auf ihren Armen stellten sich bei dem Kontakt mit ihm auf. Der Mann war eine sehr mächtige Art Magier, das war sicher.

„Nett dich kennenzulernen", sagte Alice und lächelte darüber, wie er Cassie auf einen Stuhl am Tisch drängte, fürsorglich und besorgt. Alice stimmte ihm von ganzem Herzen zu; Cassie verdiente die Art von Behandlung nach ihrer langen und einsamen Gefangenschaft mit Pere Mal.

Etwas, was Alice selbst nur allzu gut verstand. Zu ihrer Überraschung machte Aeric Gabriels Geste nach und zog sie auf einen Stuhl und vergewisserte sich, dass sie bequem am Tisch saß. Sie zwinkerte ihm zu, als er den anderen deutete, sich hinzusetzen. Dann stellte er die Guardians und ihre Partner vor.

„Das sind Rhys und seine Partnerin Echo. Du kennst Cassie und Gabriel bereits. Asher und Kira runden die Guardians und ihre Partner ab. Und zum Schluss", sagte Aeric und zeigte auf die stur gesichtige Vodoo Priesterin, die den Stuhl am Kopf des Tisches einnahm. „Mere Marie."

„Wir kennen uns bereits", sagte Mere Marie sauer und presste ihre Lippen zusammen. „Es war kurz, aber erinnerungswürdig."

Mere Marie erinnerte sich an das letzte Mal, als sich ihre Wege gekreuzt hatten, irgendwann in Louisiana.

„Das haben wir", stimmte Alice zu und neigte ihren Kopf, aber führte es nicht weiter aus, als Aeric eine neugierige Augenbraue hochzog.

„Okay, jetzt wo wir uns alle kennen", sagte Rhys und überging den Moment. „Ich denke, Alice hat wahrscheinlich ein paar Informationen über Pere Mal, die neuer sind, als die, die wir haben. Ich weiß nicht was mit euch ist Jungs, aber ich würde ihn gerne an die Wand nageln und ich denke, dass kann unser glücklicher Durchbruch sein."

Alle Augen legten sich auf Alice und sie biss sich auf die Lippe.

„Naja, ich war ja eine Weile außer Gefecht, aber ich kann dir mit Sicherheit sagen, dass Pere Mals Ziele sich in den letzten Tagen verändert haben. Er sucht nicht mehr nach den drei Lichtern, seit die Guardians ... naja in Besitz von ihnen sind, seiner Meinung nach."

Alice wusste Echos, Cassies und Kiras gemeinsames Augenrollen und Stöhnen zu schätzen.

„Also wonach sucht er jetzt?", fragte Gabriel und verschränkte seine Arme auf dem Tisch und starrte Alice mit durchdringlichem Blick an.

„Er lässt ein paar exotische Hexen für sich arbeiten, eine Wahrsagerin aus Yoruba.

Sie hat ihn durch die Haufen der Prophezeiungen geführt, die Cassie ihm gegeben hat, und hat herausgesucht, welche ihm in der nächsten Zukunft von Bedeutung sein könnten. Sie haben sozusagen eine kurze Liste von Namen gefunden, wissen aber noch nicht, was sie bedeuten. Oder sie kennen welche, aber haben nicht genug Informationen, um zu handeln."

„Gibt es irgendeinen Grund, warum Pere Mal so plötzlich seine Meinung geändert hat?", grübelte Echo. „Seine Verrücktheit schien immer eine Methode gehabt zu haben, aber hier sehe ich keine."

Alice zögerte und warf Mere Marie einen Blick zu, sie fragte sich, wie viel sie sagen würde. Wie viel wusste die weiße Hexe und wie viel hielt sie vor ihren Angestellten zurück.

„Was wisst ihr über Pere Mals Gründe?", fragte sie die Gruppe und versuchte die richtige Balance zu finden. So viele Geheimnisse und für jedes gab es Zeit, enthüllt zu werden. Bei Aeric fühlte es sich an, als wenn sie alles sagen konnte, aber die anderen kannte sie noch nicht.

„Macht", sagte Rhys. „Er will die Stadt beherrschen, vielleicht mehr."

„Er ist daran interessiert, seine Ahnengeister zu nutzen,

um seine Macht und seinen Einfluss wachsen zu lassen", warf Gabriel ein.

Alice schaute Cassie an, dessen Lippen gedankenvoll verkniffen waren.

„Er will all diese Dinge, das stimmt. Er glaubt, wenn er das Spiel gut genug spielt, dann wird er ganz nach oben kommen, egal wie gefährlich diese Wetteinsätze werden."

Alice biss sich auf ihre Lippe. „Er hat nicht wirklich die Fäden in der Hand. Er agiert in seinem besten Interesse, aber er hat einen ... ich bin nicht sicher, ob *Chef* das richtige Wort wäre. Meister ist vielleicht das Wort, das dem am nächsten kommt, glaube ich."

Stille legte sich für ein paar Sekunden in den Raum. Mere Marie und Cassies Ausdruck wichen einem überraschenden Zusammenzucken und Alice erkannte, dass keine der beiden Frauen ein aktuelles oder komplettes Bild von Pere Mals Situation hatte.

„Du sagst also ... er dient jetzt jemand anderem?", fragte Gabriel und stieß einen Finger zum Unterstreichen auf den Tisch.

„Das stimmt", sagte Alice mit einem Nicken.

„Seit wann?", fragte Mere Marie, ihr Ton war so scharf wie Glas.

„Ich bin mir nicht sicher. Ich glaube, er hat mehrere Wesen aus dem Jenseits umworben. Einige in seiner Reichweite, wie seine eigenen Ahnengeister. Und einige ... weitreichendere Kräfte. Irgendwo auf dem Weg auf dem Drahtseil ist er gestolpert und hat seinen Fokus verloren."

„Wie kannst du so was wissen?", keifte Mere Marie. Alice sah einen flüchtigen Moment echter Sorge in den Augen der Hexe, was sie überraschte.

„Ich habe gesehen, wie er mit der Kreatur gesprochen hat. Er hat mich als Botin benutzt, um die Bitten der Kreaturen zu erfüllen. Einmal ist ihm seine Kontrolle entwichen und die Kreatur hat sich selbst in die menschliche Welt gebracht, indem sie eine menschliche Gestalt benutzt hat. Es war ...", Alice schauderte. „Unschön anzusehen."

Wieder Stille. Alle schienen das in sich aufzunehmen. Asher kam zuerst wieder zu Wort, er schien weniger davon berührt als der Rest. Alice kannte ihn nicht von Adam, aber das große Ungeheuer roch nach einem ehemaligen Militär, einem Soldaten, der mit Schlägen niedergestreckt wurde und wieder schwingend hochkam. Es würde viel mehr brauchen, um Asher von diesem Spiel abzubringen, darauf konnte sie wetten.

„Weißt du nicht, wem er dient?", fragte Asher.

„Nein."

„Er hat die Erinnerung aus mir gelöscht, kurz, nachdem es passiert ist", sagte Alice.

Aeric machte ein Geräusch in seiner Kehle und Alice nahm seine Hand unter dem Tisch. Dieser einfache Kontakt stärkte sie.

„Ah", sagte Cassie und nickte. "Willst du, dass ich es von dir nehme?"

Alice zwang sich zu einem Lächeln darüber, wie ihre Freundin wusste, was sie damit sagen wollte. Alle anderen sahen ein wenig verwirrt aus.

„Das Orakel hat viele Verwendungen", war alles, was Cassie als Antwort zu ihren erhobenen Augenbrauen sagte.

Sie zeigte auf Alices Hand. Alices lies Aerics Finger los, sie wollte seine Erinnerung nicht mit ihren eigenen in Cassies Gedanken vermischen. Orakel arbeiteten auf mysteriöse Weisen. Sie nahm Cassies Hand und wartete. Cassie dagegen schloss nur ihre Augen und brummte unter ihrem Atem. Nach ein paar Momenten an Konzentrationen grinste Cassie.

„Kieran Kellan ... und Ephraim?", sagte sie und sprach das Wort *ef-rem* in einem weichen, ausländischen Akzent aus. „Ich bin mir nicht sicher, ob das ein oder zwei Namen sind, aber ich habe einen Blick auf die Jagd von Pere Mal bekommen. Er ist schon eine Persönlichkeit ... und *sehr* gut aussehend."

Nach einem sanften Knurren von Gabriel, lies Cassie Alices Hand los und drückte entschuldigend die Hand ihres Partners.

„Ich mache keine Prophezeiungen", antwortete sie scharf. „Ich sage nur, wie es ist."

„Ich denke, das ist genug für jetzt", sagte Gabriel mit einem finsteren Blick auf Cassie. „Du solltest dich ausruhen."

Cassie rollte mit den Augen, aber eher amüsiert, als genervt.

„Alice, ich bin schon seit den frühen Morgenstunden wach, mit einem Baby, das mich die ganze Zeit tritt, also ich denke, ich werde seinen Rat annehmen. Wir sprechen uns später, okay?"

Alice stand auf und umarmte ihre Freundin, als die Gruppe sich teilte, jeder ging mit seinem Partner außer Mere Marie. Die Hexe stand mit einem entschlossenen Blick auf, und Alice war froh, dass sie nicht die Abnehmerin von Mere Maries Aufmerksamkeit war.

Dann waren nur noch Alice, Aeric und eine schelmisch aussehende schwarze Katze im Raum. Alice legte ihren Kopf zurück, um zu Aeric hochzuschauen, der irgendeinen inneren Kampf mit sich führte. Seine Hände waren zusammengeballt, seine Haltung angespannt und sein Kiefer zusammengepresst.

Sofort verstand Alice. Drachen waren einsame Kreaturen, dennoch war er hier mit einer weiteren Person, die sein

Interesse geweckt hatte. Jede Berührung, jeder Blick warf Funken zwischen ihnen auf, ihre Chemie war so unleugbar. Aber als die geheimnisvolle Kreatur die er war, war Aeric zwischen seinen Fantasien und sich selbst sicher davon getrennt zu halten hin und hergerissen. Alice wusste nicht viel über Drachen, die Partnerinnen nahmen, aber sie nahm an, dass es eine recht ernste Angelegenheit war. Wenn er es so lange ohne persönliche Verbindung ausgehalten hatte, dann machte es Sinn, dass er es verabscheute sich zu verwandeln.

„Aeric", sagte sie und nahm seine Hand.

Er zog eine Augenbraue hoch, sein Ausdruck entspannte sich nur wenig.

„Wir müssen jetzt keine Entscheidungen treffen, irgendwas Drastisches zu tun", sagte Alice und ließ es sich so schlicht anhören, wie sie konnte. „Bring mich einfach ins Bett."

Seine Augen zwinkerten mit goldenen Funken, Drachen und Mann befanden sich in einem Whirlpool der Lust.

„Bist du sicher?", fragte er und seine Fäuste drückten sich fest aneinander, sodass seine Fingerknöchel weiß wurden.

„Das ist das Einzige, wobei ich mir sicher bin", sagte Alice mit einem weichen Lächeln.

Es war wahrer als sie sagen konnte, wissend, dass dies das Ende ihres Lebens war, wollte sie nichts mehr als dem Mann nahe sein, den sie schon so viele Jahrhunderte haben wollte. Er stand nah bei ihr, seine Augen glänzten vor Begierde, ein Muskel zuckte in seinem Kiefer. Aeric war mehr Versuchung, als sie widerstehen konnte. Welchen Grund hatte sie an diesem Punkt, ihm zu widerstehen?

Alice zog an seinen Fingern und er wankte. Aeric zog sie in seine Arme, alles warme und straffe Muskeln unter ihren

Fingerspitzen. Er streifte seine Lippen über ihre, zuerst sanft, dann küsste er sie hart. Als sie sich atemlos voneinander lösten, gab er ihr ein schiefes Lächeln.

„Komm", sagte er und zog sie in Richtung Foyer.

Alice kam, nur zu gewillt die kleinen Annehmlichkeiten zu entdecken, in ihrem letzten und bedeutungsvollsten Kapitel.

4

---

*A*eric zitterte am ganzen Körper, als er Alice in sein Schlafzimmer führte. Seine Schritte verlangsamten sich in der Mitte des Raumes, als er sein frisch gemachtes King Size Bett betrachtete, ein schwerer Moment der Realität, der die Fantasien mitriss, die durch seinen Gedanken liefen. Aber die Fantasien gewannen, weil ...

Sie hier war. Direkt hier in seinem Schlafzimmer und sie sah ihn mit großen Augen an. Sie biss sich auf die Lippe, während sie sich auf eine Seite seines Bettes setzte, die Bettdecke nahm und sie um ihre Schultern legte. Das war kein Traum und es war ein großer Schritt weit weg von der Einsamkeit und Stille, die Aerics Leben bislang dominiert hatte.

Alice warf ihr langes, schwarzes Haar über eine Schulter und winkte ihn zu sich und Aeric konnte ihrer Bitte nur folgen. Er trat zwischen ihre Knie, lehnte sich herunter, um sie schnell und hart zu küssen und breitete seine große Hand auf ihrem Unterrücken aus, um ihren Köper an sich zu ziehen.

Gott, ihr Geschmack … Das Gefühl ihrer üppigen Lippen unter seinen, ihre Zunge, die seine kühn traf, das sanfte Geräusch, dass sie machte, als seine freie Hand zu ihren Brüsten wanderte, und sie durch den dünnen Stoff, den sie trug, berührte…

5

Sie war zu viel, überrannte ihn, ließ ihn im Inneren lebendig brennen. Alles schien sich zu beschleunigen, der Atem ging schneller, Hände wanderten über jeden Zentimeter des anderen Körpers, hungrig und suchend. Aerics Lippen berührten ihre Braue, die Ecke ihres Kiefers, die weiche Seide ihres Nackens direkt unter ihrem Ohr. Er zog ihr Unterhemd aus, während ihre Hände an seiner Weste rissen und an seinem T-Shirt und der Hose, sie schälte ihn aus seinen Schichten und machte ihn nackt.

Schon bald waren sie Haut an Haut, Mund an Mund, und teilten jeden Atemzug. Es gab einen dauerhaften Rhythmus bei jeder Berührung, im Schaukeln ihrer Körper, als Aeric sie mit dem Rücken auf das Bett legte. Er drückte seinen großen Körper gegen ihren kleinen, bewunderte ihre schlanke Weichheit. Alle Gedanken verflogen, als Alice nach seinem Glied griff und ihn zu ihrem Eingang führte; er hätte nicht widerstehen können, selbst wenn er gewollt hätte.

Als er in ihre wartende Hitze stieß, war es wie ein Nachhausekommen, dass er nie erwartet hätte. Alice schrie

auf, hielt ihn eng an sich und flüsterte Wörter der Ermutigung. Sie bewegte sich mit ihm, ritt mit ihm höher und
höher, ihre straffen Brüste pressten sich gegen seine Brust,
ihre Nägel krallten sich in seine Seite. Es war hart und
wortlos und voll von Bewunderung. Jede Sekunde fühlte
sich unmöglich und überfüllt und betrunken vor
Freude an.

Alice versteifte sich um ihn und kam in einem kurzen
Ausbruch von Energie, und zog Aerics Erleichterung ohne
Warnung aus seinem Körper. Er markierte sie, seine Zähne
fanden ihr Zuhause in dem weichen Fleisch ihres Halses.
Drache, Bär und Mann erstarrten und zitterten mit der
Kraft ihrer Bedürfnisse. Sein Blut sang vor reiner Freude
daran, seiner Erleichterung und dem Gefühl von ihr unter
seinem Körper und dem Wissen, dass sie ihm gehörte, ihm
und niemand anderem.

Das Gefühl dieses Besitzes, die Art, wie sie sich richtig
für ihn anfühlte ... das hatte er nie im Leben erwartet. Er
hatte mit vielen Frauen geschlafen, sogar ein paar geliebt in
seinem langen Leben, aber bis jetzt hatte er nie diesen
reinen und untragbaren Moment der Verbindung gespürt.
Es ängstigte ihn, selbst als sein Herz anschwoll, sich um sich
selbst drehte, sodass er kaum atmen konnte.

Aeric fiel auf seine Seite und zog sie gegen seinen
Körper, küsste ihren Nacken und hörte dem Krächzen ihrer
Atmung zu. Es wurde langsamer, als sie in seinen Armen
einschlief, es fühlte sich an, als wenn ein großer Ballon sich
auf seiner Brust aufblies, eine neue Art von Spannung, die
ihn sich um sie sorgen ließ und gleichzeitig erregte.

Er lag dort, atmete ihren Geruch ein, während seine
Gedanken sich drehten. Alice rührte sich einen Moment,
presste schläfrig ihre Lippen auf seinen Kiefer und
murmelte etwas.

„Was?", fragte Aeric, ein Lächeln fuhr über seine Lippen, während er ihre Haare aus ihrem Gesicht strich.

„Das Warten hat sich gelohnt", sagte sie, mit demselben zufriedenen Lächeln auf ihrem Gesicht.

„Was meinst du mit warten? Du wusstest von mir?", fragte Aeric.

Alice lachte.

„Ja."

„Aus den Träumen meinst du."

Sie schüttelte ihren Kopf.

„Nein. Es gibt noch viel, was wir noch nicht besprochen haben, mein Drache. Meine Art, wir kennen unsere Partner aus unseren früheren Leben." Ihr Ausdruck verdüsterte sich ein wenig und sie seufzte. „Leider sind es nicht die besten Nachrichten für eine Furie, wenn sie einen Partner nimmt."

Aeric zog sich ein paar Meter zurück und starrte sie durchdringlich an.

„Was heißt das?", fragte er.

„Wir sollen unsere Partner töten, aber natürlich konnte ich dich nicht töten. Also habe ich mein Leben gelebt, meine Zeit genossen und ich wusste, dass wir uns vielleicht finden würden ..."

Aeric schaute sie stirnrunzelnd an.

"Das macht keinen Sinn."

Alice zog ein Gesicht.

„Naja ... für Furys ... bringen unsere Partner das Ende unseres Lebens. Immer, ohne Ausnahme."

Aerics Mund öffnete sich vor Bewunderung, aber ihm fiel nichts dazu ein.

„Du – Ich – Was?", war alles, was er herausbrachte.

„Du wirst mein Tod sein", sagte sie ihm, so ruhig wie immer.

„Du wirst nicht sterben", knurrte Aeric sie an. „Ich habe

dich gerade erst gefunden. Ich lasse auf keinen Fall zu, dass dir etwas passiert."

Alice warf ihm ein süßes Lächeln zu und presste einen Kuss auf seine Lippen.

„Du bist süß", sagte sie und vergrub sich mit einem zufriedenen Seufzen in seine Arme. „Ich bin froh, dass ich dich nicht getötet habe."

Aeric wollte sie schütteln, damit sie mit ihm sprach, und zustimmte, dass ihre Erklärung über ihr Todesurteil Blödsinn war. Alice schien nicht zu sehr besorgt davon, sie fiel in einen leichten Schlaf, sogar als Aeric noch immer damit kämpfte, ihre Wörter zu verstehen.

Wann hätte sie ihn töten können? Wie lange kannte sie ihn in Wirklichkeit? Und diese Sache, dass sie starb ... Zu Aerics Ärger konnte er überhaupt keine nützlichen Informationen über die Furys abrufen. Sie waren griechisch, das war praktisch alles, was er wusste.

Er lag also da und hielt sie, während sie schlief, und fühlte sich krank. Sein Leben war heute eine Achterbahnfahrt gewesen, all diese schwindelnden Höhen und Tiefen in halsbrecherischer Geschwindigkeit, von der er nicht sicher war, ob er damit umgehen konnte. Er versuchte seine rasenden Gedanken zu beruhigen, und sie in einfache Stücke zu brechen, mit denen er umgehen konnte.

Alice war wunderbar, toll und magisch. Daran gab es keinen Zweifel. Dennoch kannte er sie kaum, abgesehen von ihren stillen Treffen in ihren Träumen. Sie war nett und intelligent und vielseitig und er merkte, dass er mehr als alles andere alles über sie wissen wollte. Es würde Zeit brauchen, aber er würde sie nirgendwo hingehen lassen.

Wegen ihrer Beharrlichkeit über das Sterben ... naja, es war selbstverständlich, dass er bis zum Ende der Welt gehen würde und noch über die menschliche Welt hinaus, um das zu verhindern. Mit den Guardians auf seiner Seite, gab es sicherlich etwas, das getan werden konnte. Er brauchte Gabriel für die Suche und Cassie wäre ein großer Gewinn.

Aeric stieß einen langen Atem aus und schaffte es, sich ein wenig zu beruhigen. Er hatte keine Partnerin gewollt, aber Alice war ihm dennoch begegnet. Manchmal ging das Schicksal Wege, die man nicht vorhersehen konnte; er musste vertrauen, dass dasselbe Schicksal sie sicher und nah bei ihm hielt.

In seinen Gedanken überschlug er noch einmal die Ereignisse des Tages. Aeric dachte wieder an das frühere Treffen und Cassies Bekanntgebung der drei Namen. Keiran Kellan Ephraim. Naja das könnte auch ein einziger Name sein ... Er durchforstete seinen Kopf für irgendeinen Hinweis, der auf diesen Namen hindeutete. Kieran hörte sich merkwürdig bekannt aus irgendeinem Grund an, aber er kam nicht drauf. Seine Gedanken und sein Körper waren müde und Alices sanfter Atem machte ihn schläfrig.

Er entschied sich, dass er schlafen musste. Er musste den Mann oder die Männer finden, die Pere Mal suchte, diejenigen, die den Mann zu Fall bringen konnten, der wahrscheinlich Alices größte Bedrohung war. Sobald er sie gefunden hatte und Pere Mal vernichtet war, würde Aeric sich von dem Versprechen der Guardians und Mere Marie gegenüber befreien.

Dann würde er seine Partnerin nehmen und sie an irgendeinen geheimnisvollen Ort tragen, sie schützen, wie ein Drache sein Gold hütete.

Das Bild ließ ihn lächeln, während er einschlief.

ärme brodelte in Alices Bauch, als sie in Aerics Armen aufwachte. Nach dem anfänglichen Ausbruch der Leidenschaft war sie in einen leichten Schlaf gefallen, aber Aeric weckte sie nachts immer wieder auf. Sanft und hart, Arics Art der Liebe war unglaublich und erschöpfend. Als sie aufwachte, bemerkte sie, dass er sich angezogen hatte und war beinahe erleichtert. Wenn er nackt gewesen wäre und in ihrer Reichweite, dann hatte sie Zweifel, dass sie es heute überhaupt noch aus dem Raum geschafft hätten.

„Duverjay war gerade hier, er hat mir gesagt, dass sich alle unten versammeln", sagte Aeric entschuldigend.

„Wer?

„Unser Butler."

„Ah, schön", sagte Alice mit einem Grinsen.

„Spotte nur, aber er hat ein paar Kleider für dich gebracht. Cassie hat ihm ein paar Maße gesagt, denk ich."

„Ohhhhh, schön. Ich habe noch gar nicht so weit gedacht", sagte Alice. „Ich muss ... wie heißt der noch mal?"

„Man spricht es Du-vurr-jay aus. Drei harte Silben und

er ist nicht sehr freundlich, aber du kannst versuchen ihm dafür zu danken, wenn du das wirklich willst."

„Dankbarkeit ist wichtig in allen Beziehungen, egal welche Personen involviert sind", sagte Alice und zog eine Augenbraue hoch. Sie stieg aus dem Bett und ging zu dem silbernen Rollgestell an der Wand, ein Grinsen lief über ihr Gesicht, als sie die Kleider sah. „Ah, Cassie hat voll ins Schwarze getroffen. Alles schwarz, viel von Anthropologie und Topshop."

„Ich habe keine Ahnung was diese Worte bedeuten", sagte Aeric, während er ein schwarzes Baumwollshirt über-zog. Alice warf ihm einen bewunderten Blick zu.

„Naja, du trägst Tom Ford, also wählt jemand deine Klei-dung aus. Ich glaube, du musst Duverjay mehr danken, als du glaubst."

„Ja?", sagte Aeric und seine Miene war nachdenklich. „Solange du denkst, dass ich gut aussehe."

Alice zog ein schimmerndes Satinkleid mit Spitze aus dem Rollgestell. Es bedeckte alles, vom Nacken bis zu den Knien und es war schmucklos genug, um zu ihrem Stil zu passen.

„Die sind alle schwarz und dunkelgrau", sagte Aeric und nickte zu den Kleidern.

"Ja."

"Gefällt es dir nicht Farben zu tragen?", fragte er.

„Das sagt der Style Guru, der seine eigene Kleidung nicht aussucht. Ich würde gerne darauf hinweisen, dass ich dich bis jetzt nur in Schwarz und Dunkelblau gesehen habe", sagte Alice, während sie sich seidene Unterwäsche nahm und begann, sich anzuziehen.

„Nur Neugierde, ich meine damit nichts. Ich stelle mir einfach vor, dass du in fast jeder Farbe gut aussiehst", sagte

Aeric und sein Blick wanderte über ihren Körper, während sie das Kleid über ihren Kopf zog.

Alice hielt inne, ihre Lippen zuckten.

„Ich werde darüber nachdenken", sagte sie und zog ihre schwarzen Haare vorne zusammen und warf sie über eine Schulter. „Sollen wir runtergehen?"

„Klar. Ich glaube, es gibt eine Menge Kisten mit Schuhen für dich da unten und einige weitere weibliche ... Dinge", sagte Aeric und sein Zögern ließ Alice lachen. Er war angespannt, seitdem sie ihn kannte, selbst in den Zeiten, als sie ihn mit einer Kristallkugel ausgespäht hatte. Diese milde Seite an ihm war unglaublich anziehend. Sie bekam einen Knoten im Hals, als sie sich daran erinnerte, dass ihre Zeit zusammen begrenzt war. Sie musste den Gedanken beiseiteschieben, als sie die Hand nahm, die Aeric ihr bot und ihm nach unten folgte.

Die Guardians waren bereits in Stimmung als Alice und Aeric es endlich zu dem großen Konferenztisch geschafft hatten. Duverjay machte sich nützlich, er lief umher und bot Kaffee und Kuchen an, während alle anderen redeten und mit Papier raschelten. Es gab drei große Informationstafeln, die an die Wand gelehnt standen. Alice musterte sie, während sie zwischen Aeric und Echo Platz nahm, und an einem Croissant knabberte, als die andere Frau sie einholte.

„Die Tafel dreht sich um die Three Lights. Das sind ich, Cassie und Kira, glauben wir. Die Mitte hat alles, was wir über Pere Mal wissen, das ist ziemlich offensichtlich. Und diese hier ... das sind Männer, die aufgetaucht sind, als wir die anderen drei Namen gesucht haben."

Die dritte Tafel war in zwei Hälften geteilt. Eine Seite zeigte einen dunkelhaarigen Mann mit olivenfarbiger Haut, der auf jedem einzelnen Foto finster schaute. Er hatte auffallend gelbe Augen und erinnerte Alice ein wenig an Aeric, wenn sein Drachen in den Vordergrund drängte. Er sah auf eine exotische Weise gut aus, als wenn er aus dem Mittleren Osten käme.

Die andere Seite gehörte einem schockierend gut ausse-henden, grünäugigen Mann, sein schwindendes Haar wurde an den Schläfen und vorne schon grau. Mit hohen Wangenknochen, vollen Lippen und einem Ausdruck, der ein wenig amüsiert und brodelnd aussah, war er schon fast unerträglich attraktiv.

„Ja", sagte Echo mit einem Lachen, als sie Alices gezo-gene Augenbraue bemerkte. „Das ist Kieran Kellan."

„Er sieht ein wenig ... Fae aus", sagte Alice und blinzelte auf die Fotos.

„Er ist sehr, sehr Fae, wie sich herausgestellt hat. Er ist ein Faerie Prinz im Exil und er macht hier in New Orleans schon lange Zeit Probleme."

„Dann sollte es einfach sein, ihn zu finden", meinte Aeric und warf beiden einen skeptischen Blick zu. Die anderen Guardians hatten denselben Ausdruck auf dem Gesicht, es schien, dass niemand von ihnen die Bewunde-rung für Kieran Kelleans gutes Aussehen teilte.

„Das Gegenteil. Verdammt Faerie Magie, ich komme an diesen Mann überhaupt nicht ran", seufzte Aeric.

„Ich denke, ich habe vielleicht einen Kontakt, der uns von Ephraim erzählen kann, aber er wird nicht leicht zu finden sein", sagte Echo und nahm einen Schluck von ihrem Kaffee.

„Was ist mit Ciprian?", fragte Cassie.

Es wurde einen Moment ruhig am Tisch.

„Nein, auf keinen Fall", sagte Gabriel und schlug auf den Tisch.

„Wer ist Ciprian?", fragte Kira und sah zwischen Gabriel, Rhys und Cassie verwirrt hinter her.

„Er ist eine gute Quelle", sagte Cassie schelmisch.

„Er ist ein blutsaugender Abschaum", sagte Rhys ohne eine Spur von Amüsiertheit.

„Ein Vampir?", fragte Alice. Als Gabriel nickte, zitterte sie. Sie hatte Vampire nie gemocht, man konnte ihnen nicht die einfachsten Dinge anvertrauen, als würden sie ihre Reißzähne nicht in den Nacken senken, sobald man den Kopf von ihnen weggedreht hatte.

„Genau meine Meinung", stimmte Cassie zu. „Aber er ist derjenige, der Kieran überhaupt erst erwähnt hat, der gesagt hat, dass der Mann in New Orleans ist. Er weiß auf jeden Fall etwas. Außerdem hat er, glaube ich, Gefallen an mir gefunden."

Alle starrten Gabriel an, als ein tödliches Knurren seinen Lippen entwich.

„Ich glaube, das ist noch untertrieben. Er wollte mit dir schlafen und dein Blut haben", beschuldigte Gabriel ihn.

„Naja ... hm. Er ist ein Vampir. Das ist sein Leben", sagte Cassie und rollte mit den Augen. „Es ist ja nicht, als ob ich da alleine hingehe und mich ihm anbiete. Wofür hältst du mich?"

„Nein", fauchte Gabriel und verschränkte seine Arme. „Du bist im siebten Monat schwanger mit meinem Kind, Cass. Das wird nicht passieren."

Cassie blickte finster drein und schaute sich nach Unterstützung um. Rhys seufzte und klopfte ihr auf den Arm.

„Es tut mir leid, das steht nicht infrage, Mädchen. Es ist einfach zu gefährlich, während du *schwanger* bist."

„Okaaaaaay", seufzte Cassie und legte eine Hand auf ihren Bauch und starrte nach unten. „Verdammt, Kind. Du hältst mich aus allem Unfug raus!"

„So mag ich es eben gerne", sagte Gabriel.

Cassie machte ein sanftes *pfft* Geräusch, aber antwortete

nicht. Es war klar, dass sie wusste, dass ihr Partner recht hatte, selbst wenn es sie für einen längeren Zeitraum aus der Handlung heraushielt.

„Lasst uns alle an einigen Verbindungen arbeiten und heute Nacht wieder darüber reden", schlug Rhys vor und drückte sich vom Tisch hoch.

Alle murmelten ihre Zustimmung und erhoben sich und dann war die Besprechung vorbei. Duverjay ging herum und nahm die Gebäckteller mit und beschwerte sich über die Croissant Krümel. Alice zögerte einen Moment und schaute sich seinen mürrischen Ausdruck an, dann beeilte sie sich, Aeric auf sein Zimmer zu folgen.

Sie ging durch das Schlafzimmer und Badezimmer, und warf einen verlangenden Blick auf die Dusche, hielt dann aber an, als sie ihn in seiner überfüllten Bücherei stehen sah und bemerkte, wie er seine Waffe ins Holster steckte.

„Was machst du?", fragte sie. „Wo gehst du hin?"

„Ich will Ciprian sehen. Er hat vielleicht ein Auge auf Cassie geworfen, aber heute wird er mit mir reden. Ich werde ein paar Antworten bekommen", grunzte Aeric und schob ein paar Katanas in überkreuzte Hüllen über seinen Rücken und über seine schwarze taktische Weste.

„Lass mich schnell meine Schuhe anziehen", sagte Alice und drehte sich in Richtung Tür.

„Alice, du kannst nicht mit mir gehen. Das kann sehr gefährlich werden. Ich will nicht, dass du in die Nähe dieses Mannes kommst", sagte Aeric, seine Stimme hatte merkwürdigerweise keinen Tonfall. Er sprach mit ihr, aber sein Blick war distanziert, als ob er im Kopf bereits die nächsten 10 Schritte plante.

„Hey", sagte Alice und schnappte mit ihren Fingern, um seine Aufmerksamkeit zu erlangen. Als er sie ansah, stieß sie einen Finger in seine Brust. „Du lässt mich nicht hier.

Wir haben uns gerade erst gefunden, erinnerst du dich? Das gilt für beide Seiten."

„Es ist keine gute Idee, wenn du mitkommst", sagte er und seine Muskeln zuckten unter seinem Shirt, als er seine Arme über seine Brust verschränkte.

„Das ist mir egal. Ich will bei dir sein. Außerdem bin ich wahrscheinlich das gefährlichste Ding in der Stadt im Moment", sagte Alice ehrlich.

Aeric hielt inne und schaute sie einen Moment an, ehe er laut lachte. „Okay. Aber du wirst mir auf dem Weg davon erzählen, wie es ist, eine Fury zu sein, damit ich endlich verstehe, mit was ich es hier zu tun habe", verhandelte er.

Alice lachte.

„Abgemacht."

„Du wirst eine Seite an mir kennenlernen, die nicht ... schön ist", warnte sie Aeric. „Oh, Darling ... warte bis meine Fury zum Spielen herauskommt. Ich kann den Himmel Blut regnen lassen", sagte Alice und schlug ihm auf die Hand. „Man hat mir gesagt, dass es schrecklich ist."

„Ich treffe dich unten bei den Schuhkisten", sagte sie strahlend.

Alice liebte schon immer das Abenteuer ....

7

„*Und* das fasst meine Fähigkeiten so ungefähr zusammen, soweit ich weiß", beendete Alice, während sie Aeric um eine Ecke in eine muffige, dunkle Reihe von Fluren begleitete. Aeric warf einen Blick auf sie, es amüsierte ihn, wie sie beharrlich mit ihm Schritt hielt, trotz ihrer drei Zentimeter hohen Stiefelabsätze. Seine Partnerin war gleichermaßen schön und entschlossen, wie es schien.

„Um fair zu sein", sagte er und schwenkte seine Taschenlampe vor und zurück, als er an einer Gabelung auf dem Flur ankam. „Du kannst wortwörtlich jemanden in den Tod singen, was beängstigend ist. Alles was du danach noch aufgezählt hast, verbleicht im Vergleich dazu."

„Oh, ja", sagte Alice und runzelte die Stirn, als sie einen Klumpen ausgefransten Teppich beiseiteschob. Sie waren schon ganz tief im Inneren des Blutbordells, in einem Schlupfloch, das im Gray Market versteckt war. Es gab keine besondere Absprache, während sie gingen, aber Alice schien ungerührt zu sein.

„Zum Glück hast du einen Drachen als Partner und wir

haben nicht vor viel Angst", neckte er und brachte ihr Lächeln zurück. Ah, sie hatte sich also ein wenig unsicher für einen Moment gefühlt. Alice war unglaublich komplex und endlos an ihm interessiert.

„Hey", sagte Alice und zeigte rechts den Flur herunter. „Sieht diese Tür für dich seltsam aus?"

„Seltsam, als wäre sie mit Stahl ausgekleidet, ja. Gutes Auge", sagte Aeric und nahm einen einzelnen Katana von seinem Rücken. „Das ist es, okay. Bleib zurück, bitte. Das wird ein wenig glühend heiß."

Anstatt eine Stahltür niederzutreten, konzentrierte sich Aeric nach innen und rief seinen Drachen. Er veränderte seine Lippen und Nase, das Innere seines Mundes, seine Kehle und seine Lungen bis hin zu den schützenden Schuppen des Drachens. Am wichtigsten war jedoch, dass er den zweiten Bauch hervorbrachte, der es dem Drachen erlaubte, Feuer zu atmen. Nach ein paar Momenten stieß er in einem kurzen Knurren eine Wolke metallschmelzenden Feuers aus seinen Lippen und verbrannte einen Vampir, der als Wache in der Tür stand.

Er ließ die Verwandlung los und schüttelte den Drachen ab, dann schwang Aeric sein Schwert und trat in den Raum. Zwei weitere Blutsauger standen im Raum und sahen erschreckt aus.

„Alice! Komm", drängte er sie. Während sie hinter ihm hereilte, warf sie ein gemeines, kleines Lächeln auf die rauchenden Reste der Tür, als Aeric zu den beiden Handlangern nickte. „Lauft, außer ihr wollt genauso enden wie euer Freund da."

Die schwelende Stelle, wo der erste Wachmann in Flammen aufgegangen war, war anscheinend ausreichend, um sie zu überzeugen, weil beide Wachmänner ohne ein weiteres Wort flohen.

„Wow", sagte Alice, als sie in das Zentrum des Raumes trat, indem sich ein massiver Sarg aus hellem Gold befand. Es war wunderschön, aber nicht sehr praktisch. Eine Ecke davon hatte sich bereits nur von Aerics Eintreten verbogen. „Man hätte doch gedacht, er hätte einen feuerfesten Sarg oder?"

„Genau meine Gedanken", sagte Aeric und schüttelte seinen Kopf. „Aber das macht es einfacher für uns."

In einem weiteren Moment der Konzentration bedeckte er beide seiner Hände mit Goldschuppen, jedes Stück so glänzend wie der Sarg. Geschützt vor der zurückbleibenden Hitze des Sargs, pulte er leicht eine Ecke des Sargdeckels ab und drückte das ganze Ding zurück. Ciprian lag im Innern, ein tödlich aussehender blonder Mann, gekleidet in Leder und Spikes. Für die Welt sah er wie ein britischer Punk Rocker aus den späten Siebzigern aus, der eingeschlafen war, nachdem er zu viel gefeiert hatte, dachte Aeric mit einem Grinsen.

„Das ist der, nach dem wir gesucht haben?", fragte Alice ein wenig verblüfft.

In dem Moment öffneten sich die hellen Augen des Vampirs. Er schnaubte, seine Reißzähne senkten sich und die Luft füllte sich mit Bedrohung.

„Da sind wir", sagte Aeric. „Sie haben keine Witze gemacht, als sie gesagt haben, dass deine Art wie ein Toter schläft."

Ciprian stand mit einem Knurren auf, aber Aerics Schwert hielt die Bewegungen des Vampirs langsam und zielgerichtet zurück.

„Ruhig", warnte Aeric.

„Hier riecht es nach Fleisch", sagte Ciprian. Seine Worte klangen mit dickem Akzent, etwas Osteuropäischem, dass Aeric nicht erraten konnte.

„Einer deiner Männer war ein wenig zu nahe an der Tür", sagte Aeric ungerührt.

„Du riechst auch sehr interessant", erwiderte Ciprian, lehnte sich näher und versucht einen großen Hauch zu bekommen.

„Hör auf damit", sagte Aeric und brachte die Spitze seines Katana auf Höhe mit Ciprians Brust. „Mach den Werbär nicht wütend."

Ciprians Lippe hob sich in ein weiteres perfektes Schnauben.

„Du nimmst vielleicht eine Bärenform an, aber du bist kein Verwandler", erklärte er und Neugier brannte in seinen Augen. „Und begleitet von einer Fury nicht weniger als ..."

Alice überkreuzte ihre Arme und betrachtete Ciprian mit einem langen Blick.

„Ich wusste, ich kenne dich von irgendwo her", sagte sie und neigte ihren Kopf. „Du bist mit Vlad und den echten Vampiren mitgelaufen oder?"

Ciprian warf ihr ein bewunderndes Grinsen zu, mit zu vielen Reißzähnen für Aerics Geschmack.

„Das hab ich gemacht. Und du meine Dame siehst recht gut aus für dein Alter. Wie alt bist du, zehn menschliche Jahrhunderte?", fragte Ciprian.

Alice hatte die gute Gnade zu erröten.

„Es ist nicht nett nach dem Alter einer Dame zu fragen", murmelte sie und vermied Aerics neugierigen Blick.

„Deswegen bist du wohl auch mit dieser ... Kreatur zusammen", sagte Ciprian und nickte Aeric zu.

„Er ist nicht die einzige alte Seele, die in der Welt da draußen ist, Süße."

„Hast du einen letzten Wunsch?", fragte Aeric und drückte die Spitze des Schwerts gegen das Schlüsselbein des Vampirs.

„Ich bin schon einmal gestorben. Es ist mir egal, ob sich das wiederholt", sagte Ciprian und wich einen Schritt zurück.

„Wir sind aus einem Grund hier", erinnerte Alice Aeric sanft. „Stell deine Fragen, ehe er dich dazu bringt durchzudrehen."

„Mit allen Mitteln", sagte Ciprian mit einer spöttischen Verbeugung seines Kopfes. „Alles für eine Fury und ... das werde ich noch bald herausfinden, Guardian. Keine Sorge."

„Pass auf", stieß Aeric aus. Der Mann machte sich schockierend wenig Sorge um seine eigene Sicherheit. „Ich suche Kieran."

„So viele Kierans, so wenig Zeit", sagte Ciprian und machte eine Show daraus, seine Nägel anzuschauen und an seinem Shirt zu polieren.

„Kieran der Graue, um genau zu sein", meldete sich Alice. Als Aeric eine Augenbraue hob, erklärte sie: „Als Cassie Ciprian getroffen hat, hat sie gesagt Ciprian nannte ihn Kieran den Grauen."

„Also?", sagte Aeric zum Vampir. „Kieran, Kellan, Gray ... wie auch immer der Mann heißt, ich will ihn finden."

Ciprian machte einen besonnenen Schmollmund und schien seine Worte sorgfältig auszudrücken.

„Ich zweifel doch sehr daran, dass du jemanden finden willst, der auf diesen Namen hört", sagte er nach einem Moment. „Es war immer sehr unschön, meiner Erfahrung nach."

„Hast du ihn also getroffen?", fragte Alice.

„Ihn?", Ciprian grinste. „Man kann sagen, dass wir uns kennengelernt haben."

„Red nicht um den heißen Brei herum. Ich verliere das wenige an Geduld, was ich habe", sagte Aeric. „Lass mich dich nicht noch einmal fragen."

Ciprian lachte und hob beide Hände, weniger in Abwehr, sondern eher als Freisetzung persönlicher Verantwortung.

„Wie du willst. Du wirst Kieran natürlich nicht alleine überwältigen können." Bei Aerics Knurren schüttelte Cirprian wieder seinen Kopf. „Okay, okay. Du kannst Kieran den Grauen bei Madam White finden. Storyville Provinz, auf dem Gray Market."

„Er hängt im Rotlichtmilieu herum?", fragte Alice skeptisch.

„Ich denke, weniger wegen der Damen, sondern eher wegen der Diskretion, die so ein Ort normalerweise bietet", seufzte Ciprian. „Es hat mich einen guten Penny gekostet, diese Information zu bekommen."

„Naja, offensichtlich hast du ihn gefunden, es ist also möglich. Wann wird er dort sein?", fragte Aeric.

„Kann ich Gedanken lesen? Nein", spottete Ciprian, dann schien er einzulenken. „Vielleicht probierst du es mal während eines Footballspiels? Ich glaube, Kieran ist für die New Orleans Saints."

„Noch etwas, was du uns sagen möchtest?", fragte Alice und machte auf süß.

„Ich hab das alles gesehen, wisst ihr. Das Orakel hat mir diese Vision gegeben. Zum Glück für euch will ich Pere Mal genauso sehr aus der Stadt haben, wie ihr. Er ist nicht gut fürs Geschäft. Leider glaube ich, dass Kieran viel mehr kämpfen wird, als ihr euch vorstellen könnt."

„Wir haben ziemlich viele Waffen, Vampir", keifte Aeric. Seine Geduld war am Ende und er überlegte wirklich, diesen Vampir aufzuspießen. Solange er Ciprians Kopf nicht abschnitt, würde es ihn nicht töten.

Ciprians amüsiertes Schnauben ließ Aerics Finger vor Verlangen zucken.

„Du wirst etwas viel Größeres als das kleine Schwert brauchen", sagte Ciprian und nickte dann Alice zu. „Etwas wie sie oder eine der anderen Mädchen der Guardians. Vielleicht alle. Ich habe noch nie einen Faerie gesehen, der alle Register gezogen hat." Ehe Aeric noch antworten konnte, hielt Ciprian eine Hand hoch, um ihn aufzuhalten. „Das ist gute Information. Ein Faerie, der wird etwas von dir wollen, etwas Einzigartiges, dass nur ein Fury oder ein Orakel bieten kann."

„Wenn du ihn gesehen hast, dann sag uns, nach was er fragt", sagte Alice einfach.

„Meine Vision endet damit, dass du ihn bei Madam White findest. Was danach passiert, das kann ich mir kaum vorstellen. Jetzt, wenn es dir nichts ausmacht, ich muss noch ein wenig schlafen, ehe die Sonne untergeht. Sogar Vampire brauchen ihren Schönheitsschlaf, weißt du das nicht?", sagte Ciprian.

Seine Entschlossenheit die Begegnung zu beenden war klar in seiner Stimme und seinem Blick zu hören.

„Na gut", sagte Aeric und schaute nach unten auf den ruinierten Sarg. „Du solltest dir etwas Praktischeres aussuchen, in dem du schläfst, Vampir."

Ciprian lehnte sich näher heran und schnüffelte wieder in der Luft.

„Dein Duft ist fast metallisch. Sehr interessant", sagte er und hob herausfordernd eine Augenbraue. Es war klar, dass er Aerics Intimsphäre gegen ihn nutzte, um alleine gelassen zu werden, aber es war es nicht wert sich dem zu widersetzen.

„Tschüss dann", sagte Alice, als Aeric eine Hand um ihre Taille legte und sie aus dem Raum zog.

„Das war interessant, um es mal so zu sagen", murmelte er und führte sie wieder zurück über den Flur. „Wenn wir jetzt wieder hier herausfinden, dann haben wir glaube ich, eine echte Spur."

„Ich gehe hin, wo immer du hingehst, Partner", sagte Alice neckend und verschränkte ihre Finger mit seinen, nachdem er sein Schwert wieder weggesteckt hatte.

Ihre Worte waren halb spaßig gemeint, aber sie hallten bei Aeric nach. So wie sie ihn Partner genannt hatte, bekam er eine Gänsehaut und die Wörter, die sie ausgesprochen hatte, trieben ihn weiter an. Es stimmte immerhin.

Ihr Schicksal war jetzt seins und es lag an ihm, sie in Sicherheit zu halten.

8

D *ominic.*
Wach auf Dominic.

Pere Mal öffnete seine Augen und starrte auf die schwach beleuchtete Wand seines Schlafzimmers. Hatten die Geister ihn gerufen? Er hatte etwas gehört, aber er war nicht sicher, was es war. Er setzte sich vorsichtig auf und fühlte das Knacken seiner Knochen. Er hatte schlecht geschlafen, Spannung lag in der Stadt und in seinem eigenen Gebiet. Sein grauer Seidenpyjama klebte an seiner schwarzen Haut, feucht von seinen Strapazen des Herum-wälzens in seinem unruhigen Schlaf.

Seine Aufmerksamkeit wurde zu der Kerze auf seinem Nachttisch gezogen. Es gab keinen Windzug im Zimmer, aber die Kerze flackerte für ein paar Momente stark, ehe sie ganz ausging. Ein Hauch von Rauch stieg auf und ein scharfer Geruch erfüllte die Luft und dann schien der Rauch Form anzunehmen, er wurde zu einer eleganten gefingerten Hand.

Die Reste des Schlafs hatten ihn noch im Griff, als er aufstand und der Hand ohne nachzudenken folgte. Seine

Vorfahren auf der anderen Seite des Schleiers, tief im Geisterreich, riefen ihn auf viele Arten. Dies hier fühlte sich zunächst nicht anders an, bis er in den kleinen privaten Schrein neben seinem Schlafzimmer trat.

Der Altar war ein einfaches, glattes Stück Stein, das ungefähr 1.50m lang und 90 cm breit war und 30 cm über dem Boden stand. Überall drum herum standen Kerzen und Statuen mit kleineren Engeln, Rosenkränzen und Münzen und kleinen Fläschchen mit Likör, einhundert kleine Perlen, um die Geister zu füttern. Die Wand zierten viele Fotos, Zeichnungen und Gemälde von mehreren Malveaux Vorfahren, arrangiert entsprechend der Macht und dem Prestige, den sie in ihrem menschlichen Leben erlangt hatten.

Alles war genauso, wie es sein sollte, der Unterschied heute war, dass ein hässliches Mädchen ausgestreckt auf dem Altar lag und ihn mit glasigen Augen ansah. Obwohl ihr Haar und das dünne weiße zeremonielle Leichentuch sauber und ordentlich waren, wiesen die roten Schwellungen um ihre Augen und die dunklen Prellungen an ihren Fingerknöcheln und inneren Armen sie als Junkie aus, eine verlorene Teenagerfrau.

Ein Behältnis. Das war kein freundlicher Besuch von einem seiner Bygone Verwandten. Ihr Mund öffnete sich und eine unnatürlich tiefe Stimme kam aus ihrem Mund, die Kreatur die sie beherrschte, ließ sie wie eine tollpatschige Marionette funktionieren.

„Bring mich weg", befahl die Stimme.

Das Mädchen griff nach einem Silberdolch, drehte ihn in ihren Händen und warf den Griff Pere Mal zu. Als Pere Mal zögerte, ließ die Kreatur in ihr ein beängstigendes Knurren hören.

„Ja, ja", sagte Pere Mal.

Er akzeptierte den Dolch, schloss seine Augen und murmelte einen langen Zauberspruch, die Wörter waren alle schon viel zu vertraut. Sie lagen schwer auf seiner Zunge, als ob er Arsen getrunken hätte; die Dunkelheit der Magie betäubte seine Lippen. Als er endlich das letzte Wort sprach, stieß er den Dolch nach vorne und kümmerte sich nicht darum, wo er landete, solange es in das wartende Fleisch des Mädchens stieß.

Der Dolch zittere in seinen Fingern, während er wartete. Es war geschmacklos, diese Beschwörung eines Geistes in die menschliche Welt, aber es war notwendig. Sein Meister war ein Loa mit viel Macht und es lag Pere Mal fern, einen direkten Befehl von ihm nicht auszuführen. Es wäre mit Sicherheit sein Todesurteil.

Die Luft im Raum wurde kühl und Pere Mal zwang sich, seine Augen zu öffnen. Das Mädchen stand jetzt, aber ihre Form begann zu verschwimmen. Es war, als wenn ihr Skelett sich in ihrem Körper bewegte, sich streckte und sich Stück für Stück veränderte und eine neue Kreatur formte. Ihre Haut wurde schrittweise dunkler, bis sie so schwarz wie Kohle war und ihr Geschlecht veränderte sich. Das Endergebnis dieser Kreatur war ein atemberaubender, dunkelhäutiger Mann, der einen halben Kopf größer als Pere Mals 1,80m war. Er war schlank, muskulös, und erinnerte Pere Mal an nichts anderes, als an einen Jaguar auf der Jagd. Das Weiße seiner Augen glühte hell, die Iris schimmerte wie die Mitternacht.

„Papa Aguiel", sagte Pere Mal und beugte sich nach unten. „Es ist eine Ehre."

„Ahhh", sagte der Geist, sein Atem kam in eisigen Stößen. Die Luft fror um seine Lippen, winzige Schneeflocken formten sich und fielen auf den Boden. „Es ist lange her, Dominic."

Der tiefe hawaianische Akzent des Mannes vermischte sich mit modernen englischen Worten.

„Meister", sagte Pere Mal und hielt seine Augen auf die Brust des Mannes gerichtet. Er konnte es nicht ertragen Augenkontakt mit dem Loa zu haben.

„Diese Haut ist viel zu eng", bemerkte Papa Aguiel. „Ich muss das nächste Mal einen größeren Körper als Opfer nehmen, oder nicht?"

Pere Mal neigte seinen Kopf. Manchmal konnte die seltsame Art des Geistes für Verwirrung sorgen, solange der Loa ihm keine direkte Frage stellte, war es besser ruhig zu bleiben.

„Heutzutage ist es schwer gute Jungfrauen zu finden, habe ich gehört." Papa Aguiel sah sich im Raum um, und Pere Mal wunderte sich, was der Geist sehen konnte. Das Behältnis garantierte ihm nur eine zeitweilige Anwesenheit auf dieser Ebene und Pere Mal kam der Gedanke, dass der Loa solche Dinge wie eine menschliche Welt nicht erlebt hatte.

„Wir geben unser Bestes", sagte Pere Mal und wählte seine Worte sorgfältig.

Papa Aguiel gab ein leises Kichern von sich, sodass Pere Mal eine Gänsehaut bekam. Belustigung war in diesem Kontext beängstigend.

„Zum Geschäft, kleiner Mann." Die dunklen, blinden Augen des Loas wanderten herum, während er sprach.

„Es gab viele Veränderungen in der Geisterwelt. Der Ausgleich der Macht verändert sich und nicht zu unseren Gunsten. Ich glaube, es wird eine Art Coup geben in den nächsten Tagen."

Pere Mal runzelte die Stirn.

„Das ist nicht gut."

Papa Aguiel schnaubte und schien verärgert.

„Ich bin nicht wegen deiner Lippenbekenntnisse hier hergekommen kleiner Mann. Hast du den Mann gefunden, nach dem ich gefragt habe?"

Pere Mals Herz stolperte. Er hatte auf mehr Zeit gehofft ... Mit gesenktem Kopf berichtete er von den Neuigkeiten.

„Er hat sich als unmöglich erwiesen."

Pere Mal sah kaum die Bewegung, als die Hand des Loas ausschlug und seine Brust traf und in sein Fleisch sank. Mit seinem Mund nach Luft schnappend wie ein Fisch, konnte Pere Mal nur auf Papa Aguiel's hervorgetretene, blinde Augen starren, während der Loa einen eisigen Finger um Pere Mals Herz wickelte und *zudrückte*.

Pere Mal konnte sich nicht bewegen, nicht atmen, nicht denken. Papa Aguiel schien das nicht zu kümmern, er schien mehr daran interessiert die Wichtigkeit der Vereinbarung klar zu machen.

„Ich habe dich rekrutiert, als du ein Nichts warst, kleiner Mann. Du hast nach Krümeln gesucht, hattest kaum genug Magie, um dich am Leben zu erhalten. Ich habe dir Macht in *Nouvelle-Orleans* gegeben. Ich habe dir Eintritt verschafft. Geheimnisse, Macht von der anderen Seite. Ich habe das alles aus einem Grund getan, aus nur einem einzigen Grund: Du sollst mich dauerhaft in den sterblichen Bereich bringen. Das war unsere Vereinbarung, kleiner Mann."

Der Loa hielt inne und schaute Pere Mals Gesicht einen Moment an, ehe er weitersprach. „Um auf diese Seite zu kommen, brauche ich ein spezielles Behältnis. Ich habe dir das lang und breit erklärt, ich brauche den Mann. Kieran, den grauen Faerie, er ist der Einzige, der mir geben kann, was ich brauche. Wenn ich diese Chance verpasse, dann könnte ich durch den Putsch in der Geisterwelt ungefähr tausend Jahre zurückgesetzt werden. Ich habe nicht so lange und so schwer gearbeitet, damit du all meine Pläne zerstörst, haben wir uns verstanden?"

Pere Mal konnte auf keine bedeutende Weise antworten. Verärgert ließ Papa Aguiel ihn los und schubste ihn zurück. Pere Mal keuchte und griff sich an seine Brust, qualvoller Schmerz erfüllte für einen langen Moment jede Faser seines Körpers.

„Das ist nur der Anfang von dem, was du spüren wirst, wenn du mir nicht gehorchst, kleiner Mann. Meine letzte Handlung der Macht wird es sein, dich in die Geisterwelt zu bringen, unter meiner Kontrolle. Ich werde dir unendlich wehtun. Ich werde jeden Geist in deiner Familienlinie quälen. Ich werde jeden lebenden Ahnen töten und deine Familienlinie auslöschen, verstehst du das?"

Pere Mal schnaubte eine Bestätigung und zitterte.

„Das ist deine letzte Chance, Dominic. Hol den Mann, locke das Behältnis aus dem Versteck. Das habe ich dir immer wieder gesagt. Andererseits werde ich meine Hand um dein Herz legen und das wird keine schöne Erinnerung sein."

„Ja, Meister", schaffte Pere Mal es zu sagen und blinzelte den Schweiß weg, der von seinen Brauen in seine Augen tropfte.

„Enttäusche mich nicht, kleiner Mann."

Mit der Ankündigung riss Papa Aguiel das Fleisch von den Knochen des Behältnisses, zerriss es, bis eine dünne Rauchschwade erschien und in der Luft verschwand. Der gebrochene und blutige Körper fiel auf den Boden, leblos und träge verwandelte es sich wieder in seine originale blasse Haut und blondes Haar. Blut tropfte auf den Boden, die Wärme davon berührte Pere Mals nackte Füße und ließ ihn keuchen.

Pere Mal drehte sich um und rannte in das kleine Badezimmer nebenan und übergab sich auf der Toilette, bis er völlig leer war. Nachdem er fertig war, stand er auf und spülte seinen Mund aus. Dann ging er in sein Schlafzimmer zurück und zog seinen normalen schwarzen Anzug an und nutzte sein Handy, um alle seine besten Männer zusammenzurufen.

Als er sich endlich angezogen hatte und nach unten gegangen war, warteten zehn dunkel gekleidete Männer mit neugierigem Ausdruck auf dem Gesicht auf ihn. Er führte sie in ein Zimmer und hielt seine Erwartungen klar und deutlich:

„Geht zum Gray Market. Dreht jeden Stein um, befragt jede Person, dreht jeden Arm um, den ihr finden könnt. Bringt mir Kieran den Grauen zum nächsten Mond oder ihr seid alle tote Männer."

Eine Weile herrschte Stille. Dann kam „Ja, Sir" von jedem Mann. Alle drehten sich um und gingen aus dem Haus. Pere Mal ging in die Küche und machte sich eine Tasse Süßholzwurzeltee und versuchte das Zittern in seinen Händen zu ignorieren, während er die Tasse und die Untertasse hielt.

Er starrte aus dem Fenster in seinen Hof, nippte an seinem Tee und beobachtete den Mond.

Er würde nicht scheitern.

9

„So sieht also ein Fae Bordell aus", sagte Alice und neigte ihren Kopf.

Sie waren gerade in eines der am dekadentesten dekorierten Zimmer getreten, die Alice jemals gesehen hatte, alles rote Damastvorhänge und glänzendes schwarzes Holz und glitzernde Goldstücke hier und da. Zwar gab es dezentes elektrisches Licht, aber der größte Teil des Raumes wurde von eleganten Kronleuchtern beleuchtet. Mit luxuriösem Teppich und zwei Butlern, welche die Mäntel und Mitgliedskarten an der Tür überprüften, schien das alles ein wenig übertrieben. Und das kam von Alice, die während der glänzenden Heldenzeit des alten Roms gelebt hatte.

„Danke für die Kundschaft", murmelte einer der Butler und gab die silbermetallene Mitgliedskarte zurück, die Echo hergestellt hatte, um ihnen Eintritt zu gewährleisten. Rhys nahm Echos Arm und drängte sie weiter und Alice lächelte, als Aeric dasselbe bei ihr machte. Asher und Gabriel waren direkt hinter ihnen Cassie und Kira waren zu Hause geblieben.

Die Guardians waren alle gut gekleidet, in Anzügen und

Cocktailkleidern. Aeric fühlte sich unwohl mit seinem Armani Anzug und zog immer wieder an seiner Krawatte. Dennoch stand er ihm wirklich gut. Er sah aus wie James Bond, wenn er am Brutalsten war und Alice konnte wirklich nicht warten, bis der Abend vorbei war, sodass sie ihm Stück für Stück den Anzug ausziehen konnte.

Er zog eine Augenbraue hoch, als er sie erwischte, wie sie ihn beobachtete. Sie grinste und zuckte mit den Schultern; er hatte sich den ganzen Abend ihr schwarzes, enges Spitzenkleid angeschaut und ihren Po in ihren roten High Heels betrachtet. Fair war immerhin fair.

„Hier lang, bitte." Eine schöne, zierliche Asiatin in einem hautengen Kleid aus Silberperlen warf ihnen ein höfliches Lächeln zu und erklärte die Hausregeln, während sie sie durch das Foyer begleitete. „Madam White hat ein paar Regeln, die beachtet werden müssen. Keinen Streit, nichts mitnehmen, was nicht Ihnen gehört und nicht respektlos gegenüber den Angestellten sein. Das ist ein Haus der Freude und ein Ort für Geschäfte. Ich vertraue darauf, dass das kein Problem sein wird."

Ihr angespanntes Lächeln sagte, dass sie ihnen überhaupt nicht traute und Alice lachte beinahe. Sie erreichten ein paar goldglänzende Doppeltüren, die mit undurchschaubaren Zaubersprüchen geätzt waren.

„*Tretet ein*", sagte die Hostess.

Sie zog eine der Türen auf und trat zurück, um sie eintreten zu lassen.

Alice unterdrückte ein Kichern, als sie hineinsah; Es war eine Szene aus einer viktorianischen Opiumhöhle. Männer und Frauen lagen auf weichen Samtkissen, nippten an Drinks an einer glänzenden Messingbar und ein paar rothaarige Zwillinge tanzten miteinander zu langsamer Jazzmusik, die auf einem großen Klavier gespielt wurde.

Es gab eine fast nackte Schlangenfrau, die in einer Ecke auftrat und die langsam ihr Bein über ihren Kopf hob und in der Luft zurückfiel, um einen Spagat in der Luft zu machen und sich dabei langsam zu bewegen. Mehrere dunkel bekleidete Männer saßen in einem Kreis aus Leder-Armstühlen um sie herum und beobachteten jede Bewegung mit großem Interesse.

Das Einzige was völlig fehl am Platz schien, war ein polierter Flachbildschirm am Ende der Bar. Ein Football-spiel lief und Alice erkannte die Schwarzgoldende Fleur de Lis, welche das New Orleans Footballteam darstellte. Ein gutes Zeichen, wenn Ciprians Informationen über Kieran Kellan für etwas gut waren.

Alice spürte den neugierigen Blick der Stammkunden für ein paar Momente, aber es gab keine Unterbrechung in der Unterhaltung.

„Wollt ihr heute Nacht eine Begleitung haben?", fragte die Hostess Rhys, der sie düster anschaute.

„Naa", sagte er. „Wir sind nur für einen Drink hier, sonst nichts."

„Wie ihr wollt."

Sie führte sie zur Bar und ging eine lange Reihe unbesetzter Stühle entlang. Sobald sie saßen, ging sie zur Bar und winkte jemandem, der außer Sichtweite hinter einem glitzernden Vorhang aus Silberperlen stand.

Alice akzeptierte ein Glas Wasser von der Hostess und lehnte sich zu Aeric.

„Kannst du Auras lesen?", flüsterte sie.

„Nur ein wenig", gab er zu. „Warum, ist dir was ausgefallen?"

„Wer immer da hinter dem Vorgang ist, ist sehr sehr mächtig", sagte sie und neigte ihren Kopf in den hinteren Teil des Zimmers. „Wenn ich raten müsste, würde ich sagen, das ist unser Mann. Oder jemand, der weiß, wo er ist."

Der mysteriöse Mann nahm dies als eine Art Stichwort, er kam hinter der Bar hervor. Kieran war unverwechselbar, sein silberblondes Haar, grüne Augen und der wilde stolzierende Gang waren noch schockierender in Person, als auf den Fotos, die Alice gesehen hatte. Alice und Echo schauten ihm in die Augen und machten ein merkwürdiges Gesicht. Kieran war viel zu gut aussehend.

Aerics Finger landeten auf ihrem Schenkel und ließen sie zusammenzucken.

„Tut mir leid", sagte Alice. „Er ist – ich weiß nicht ... es ist verwirrend!"

„Es ist Fae Magie", stimmte Gabriel an. „Sie nutzen den Zauber, um Menschen anzuziehen, so wie sie es wollen. Viele von ihnen können nicht anders, aber unser Mann hier scheint die Lautstärke voll hochgedreht zu haben. Kein Wunder, dass er alle Damen hier verzaubert, an sich zieht und dazu bringt, niemandem ein Wort über ihn zu sagen."

„Kein schlechter Plan", sagte Asher, wie immer praktisch.

„Naja ... und jetzt was?", fragte Echo. „Machen wir einfach –"

Rhys schnitt ihr das Wort ab.

„Ey!", rief Rhys Kieran zu. „Ein Wort?"

Kieran richtete diesen verwirrenden smaragdfarbenen Blick auf sie alle, dachte einen Moment nach und kam dann herüber. Sogar sein Gang war großspurig und übertrieben maskulin, es war lächerlich.

„Brauchst du einen Drink?", fragte er, sein irischer Akzent war hell und lyrisch.

„Ein Pint für alle", sagte Rhys und schaute den Mann von oben bis unten an.

„Recht so", sagte Kieran und ging zu einem vergoldeten Bierzapfhahn und füllte Glas über Glas mit der amberfarbenen Flüssigkeit. „Das ist Fae Honigwein, also immer vorsichtig damit, ja? Er kann euch überraschen."

„Du bist schwer zu finden", sagte Rhys, nachdem er den ersten Schluck genommen hatte und das Pint Glas wieder auf die Bartheke stellte.

Kieran hielt in seiner Arbeit inne und drehte sich dann mit einem neugierigen Blick um.

„Ich bin niemand", sagte Kieran. „Nur ein Barkeeper mein Freund."

„Ich glaube nicht", warf Gabriel ein. „Du bist –"

„Na, na, na", sagte Kieran und stellte schwungvoll ein Bierglas vor Gabriel. „Keine Notwendigkeit für all das. Namen haben hier viel Macht, wenn ihr versteht, was ich meine."

So wie er sich im Raum umsah, ruhig aber dennoch argwöhnisch, glaubte Alice, dass es vielleicht einen Zauber gab, der mit dem Wort *Kieran der Graue* aktiviert wurde.

„Ich verstehe", sagte Gabriel.

Kieran schüttelte seinen Kopf und drehte sich um und goss den Rest der Getränke stumm ein.

„Noch etwas?", fragte er und nahm ein Bartuch und legte es sich über die Schulter. Seine Nachahmung eines Barkeepers war ziemlich perfekt.

„Ja. Was ist mit dem Namen Pere Mal?", fragte Asher und kam direkt auf den Punkt.

„Ich glaube, du bist nicht mehr interessiert daran, von ihm erwischt zu werden, als wir. Wir könnten uns gegenseitig helfen."

„Und wer seid ihr alle?", fragte Kieran und schwang seine Fingerspitze.

„Alpha Guardians."

„Ahhh, die Schützer der Stadt." Er grinste. „Ich verstehe. Naja es tut mir leid, aber bin nicht daran interessiert, beschützt zu werden. Mir geht es hier gut, wie ihr sehen könnt. Ihr geht besser und zieht nicht noch mehr Aufmerksamkeit auf euch, hm?"

„Wenn du von Pere Mal besiegt wirst, werden wir größere Probleme haben, als zu versuchen, die Stadt zu beschützen", warf Rhys ein, aber ein Handgemenge in einer Ecke des Raumes zog die Aufmerksamkeit auf alle.

Die goldenen Doppeltüren schwangen auf und beide Butler kamen mit fuchtelnden Händen in der Luft hinein. Hinter ihnen kamen zwei dunkel gekleidete Schlägertypen ins Zimmer.

„Wenn man vom Teufel spricht, dann kommt er", witzelte Kieran. „Seht ihr, was ihr getan habt?"

„Geht hinter die Bar", sagte Aeric und griff Alice und Echo und schubste sie beide.

Die Guardians nahmen die Angriffposition ein, aber sie wurden schnell überwältigt. Ein Paar Beistehende versuchten den Einmarsch abzuwenden, aber einer von Pere Mals Männern zog eine Waffe und schoss einen Kunden in die Brust. Die Gäste wichen an die Wand zurück und versuchten zu fliehen und die Guardians waren das Einzige zwischen Kieran und einer sicheren Gefangenenschaft.

Kieran überraschte Alice, indem er sich an ihr und Echo vorbeidrückte und sich mit ganzem Herzen in den Kampf stürzte. Der Faerie war riesig, ein paar Meter größer noch als ihre eigenen Leute und er kämpfte mit Vergnügen. Noch mehr böse Männer in Anzügen kamen herein und verlängerten den Kampf, drückten Kieran und die Guardians zurück und immer weiter zurück, bis sie fast an die Bartheke gedrückt standen.

Dann warf Gabriel irgendeine Art blendenden Zauber in den Raum, der die Hälfte der bösen Männer ausschaltete, Kieran folgte mit einem knisternden Fluch, der wie helles Gold blitzte. Die Richtung drehte sich und schon bald war der Boden mit Toten und bewusstlosen Handlangern übersät.

„Eine gute Rauferei am Spieltag gefällt mir immer", sagte er. „Besonders wenn unsere Männer nicht gewinnen."

„Kommst du dann mit uns mit? Schau das blöde Spiel doch in Sicherheit an", knurrte Rhys den Faerie an.

„Oh, wenn das so einfach wäre. Am besten ist es alle zu beseitigen. Es wird bald noch mehr geben."

„Welche anderen?", wollte Aeric wissen.

„Scheint so, als wenn Kieran herumgeschnüffelt hat und seine Nase in Dinge gesteckt hat, die ihn nichts angehen", sagte er mit dramatischem Augenrollen. „Es wird noch weitere geben."

„Warte ... bist du nicht Kieran?", fragte Alice verwirrt.

Der Mann zwinkerte ihr zu.

„Um Gottes willen, nein", sagte er.

Und dann in einem unvergesslichen Moment von völliger Irrealität kam ein perfektes Double des Mannes in den Raum und schaute sich stirnrunzelnd den Boden an.

„War Pere Mal hier?", fragte der zweite Kieran.

„Wo warst du, Bruder?", fragte der Erste.

„Bruder?", wiederholte Echo mit weit aufgerissenen Augen. „Oh Gott, es gibt zwei von euch?"

Beide Männer drehten sich mit demselben weiten, haarsträubenden Grinsen um.

„Hey", sagten sie gleichzeitig.

„Schluss damit", knurrte Gabriel. Er hob eine Waffe und schoss auf beide und brachte Alice damit zum Quietschen. Beide Männer fielen im Stehen wie Steine um, ihr

Gesichtsausdruck ging in Sekunden von rebellisch zu schlaff.

„Was zur *Hölle*", riefen Alice und Echo.

„Es ist nur ein Beruhigungsmittel", sagte Gabriel. „Nur zu Transportzwecken. Wir können es uns nicht leisten, diese Idioten herumlaufen und sich erwischen zu lassen. Das ist nur eine Vorsichtsmaßnahme."

„Dann lass uns sie rausbringen", sagte Rhys. Die vier Guardians nahmen jeder ein Ende eines bewusstlosen Faeries und ließen Alice und Echo über den mit Körpern bedeckten Bordellboden hinterherlaufen.

„Das hat auf jeden Fall meine Erwartungen noch übertroffen", flüsterte Echo und brachte Alice zum Kichern.

Alices Gedanken waren derweil schon weitergewandert. Sie bewunderte Aerics Hintern ganz offen, während er vor ihr ging und einen der Zwillinge trug. Das war wirklich ein Abenteuer gewesen.

Aber sie war sich ziemlich sicher, dass noch ein viel Größeres auf dem Landgut auf sie wartete ... im Schlafzimmer.

Sie leckte sich über ihre Lippen und folgte ihrem Partner.

10

*A*lice lachte heiser, als Aeric ihren schweißbedeckten Körper an seinen zog. Sie lag vor ihm und er nutzte das voll aus. Er schnüffelte an ihrem Nacken und neckte sie mit seinem Dreitagebart, während seine Lippen über ihre Haut wanderten. Ihre Brüste spannten sich, als sich die Hitze in ihrem Körper ausbreitete, obwohl sie erst vor ein paar Minuten einen Orgasmus gehabt hatte.

„Wie kannst du schon wieder bereit sein?", fragte sie und biss sich auf die Lippe. Sie hatte ihm den Anzug abgestreift, genauso wie sie es geplant hatte und dann hatten sie mehrmals miteinander geschlafen. Jetzt ging die Sonne bald auf und er hatte sie wirklich geschafft ... nicht, dass sie keine Lust hätte.

„Ich kann anscheinend nicht anders", murmelte er an ihrem Nacken. „Ich glaube, ich hatte schon aufgegeben, so was zu finden, so eine Verbindung mit jemandem zu haben, wie ich sie mit dir habe. Es nervt mich, aber es macht mich auch an. Der Bär und der Drache scheinen sich auch nicht drum zu scheren."

Das Letzte war ein Witz, das wusste Alice. Sie konnte

sehen, wann der Bär oder der Drache nahe an der Oberfläche war, sie konnte die Veränderung in ihm spüren, in
seiner Persönlichkeit und ihn seinem Begehren. Es gab ihm
unendlich viele Facetten und neue Dinge für sie zu entdecken, jedes Mal, wenn sie sprachen, sich küssten, sogar
wenn sie sich länger als ein paar Momente ansahen.

Es war berauschend.

Es machte ihr auch ein wenig Angst, dass sie vielleicht
die Vergangenheit zugab und sehen würde, ob ihre neu
gefundene Verbindung mehr als nur Schwärmerei war.
Würde sie dem Test der Wahrheit standhalten?

„Ich habe dich verflucht, ich habe einen Drachen aus dir
gemacht." Die Worte waren aus Alices Mund, noch ehe sie
darüber nachdenken konnte. Aerics Lippen wurde stumm,
seine Finger spannten sich auf ihrem Rippenbogen an.

„Was meinst du damit?", fragte er langsam.

Alice drehte sich in seinen Armen und sah seinen
Ausdruck in seinem Gesicht.

„Ich habe dir doch von den Furies erzählt, von unserer
Macht und unseren ... Grenzen."

„Meinst du dein hartnäckiger Glaube, dass ich dich
irgendwie töten werde? Ja, das hast du mir gesagt."

„Da ist noch mehr. Um unsere ganze Macht zu erlangen,
um eine Art Göttin zu werden, müssen wir unseren Schick-
salspartner finden und ihn töten. Das Opfer ist so mächtig,
dass es einen Halbling wie mich, in die volle Göttlichkeit
treibt."

Aeric schien das zu überdenken.

„Ich verstehe nicht, was das mit meinem Drachen zu tun
hat", sagte er schließlich.

„Ich sollte dich töten. Die Nacht, wo dein Haus zusam-
mengefallen ist und der Drachen dich in Besitz genommen
hat, war ich da. Meine Mutter hatte mir aufgetragen, dich zu

töten, sonst würde sie mich abweisen." Alice machte eine Pause. „Natürlich konnte ich das nicht. Stattdessen habe ich einen Fluch auf dich geworfen, um sie zu beruhigen."

Ein merkwürdiges Grinsen erschien auf Aerics Lippen.

„Und das Einzige, was dir eingefallen ist, ist aus mir eine unaufhaltsame, wilde Kreatur zu machen?", fragte er.

Alice wurde rot.

„Naja ... Als ich dich angeschaut habe, konnte ich dir einfach nicht wehtun."

„Warum bist du dann nicht zu mir gekommen? Wegen diesem ganzen ‚er wird mich töten'-Ding? Das ist Quatsch, das weißt du."

Alice schüttelte ihren Kopf.

„Meine Mutter hat mir gesagt, dass du mich hassen wirst. Dass du gejagt und dass du nie Frieden finden und es mir übelnehmen wirst."

Aeric war eine Sekunde lang still.

„Ich wurde gejagt, das stimmt. Und ich habe nie Frieden gefunden, aber ich glaube, das kommt, weil ich auf dich gewartet habe. Der Rest ..." Er lehnte sich hinüber und ließ seine Lippen über ihre streifen. „Ich glaube, mein Drache ist ein großes Geschenk. Mein menschliches Leben wäre schon lange ohne ihn vorbei. Und ich hätte nie die Magie gelernt, meinen Bären bekommen ... Der Drache hat viele Dinge in mein Leben gebracht."

Sie waren eine Zeit lang ruhig, beide hingen ihren eigenen Gedanken nach.

„Ich habe dich beobachtet, weißt du."

„In der Kristallkugel, ja. Das hast du bereits gesagt. Und du hast mich in meinen Träumen besucht ..."

„Nein, ich meine ... ich habe dich gefunden und dich aus der Entfernung beobachtet. Für eine Stunde oder manchmal auch ein paar Tage lang. Ich habe immer gehofft, dass du nach mir suchen wirst und dann würde ich wissen, dass wir zusammen sein könnten. Egal was das für mich bedeutet."

Aeric runzelte die Stirn.

„Warum hast du nie versucht, den Fluch zu beheben, wenn du glaubst, dass mein Drache das ist?"

Alice biss sich auf ihre Lippe.

„Das ist egoistisch", gab sie zu. „Wenn ich den Fluch aufgehoben hätte, dann wärst du kein Drache mehr, es hätte eine Reihe von Konsequenzen zur Folge. All meine Erinnerungen an dich, die Zeiten, in denen ich dich besucht und beobachtet habe, ich dachte, sie würden verschwinden. Den Gedanken konnte ich nicht aushalten. Ich konnte das Risiko, dass du ein Fremder sein würdest, nicht eingehen."

Aeric sah aus, als wenn sie ihm in die Magengrube geschlagen hätte.

„Kann das wirklich wahr sein?", stieß er aus.

„Wenn der Fluch aufgehoben werden würde? Ich denke schon. Gott sei Dank ist das nie passiert", sagte Alice schulterzuckend.

Aeric zog sie nahe zu sich heran und schlang ihre Arme um sie.

„Das würde mich umbringen", flüsterte er.

Alice küsste seine Schulter. Dann fügte sie hinzu: „Ich würde immer zu dir zurückkommen, egal was passiert. Ich will, dass du das weißt. Egal was passiert."

Aerics Lippen lagen in der nächsten Sekunde auf ihren und seine Hände fuhren durch ihr Haar. Er sprach nicht, aber das musste er auch nicht. Alice konnte die Wut und den Frust fühlen, der durch ihn durchging, seine Wut auf ihr Beharren, dass sie ihm weggenommen werden konnte.

Alice küsste ihn zurück und liebte ihn in rauen Stößen. Sie nahm ihn von innen und von außen in Besitz und gab ihm den Besitz über sich selbst. Sie verstand seine Angst. Sie spürte sie auch, bis in die Tiefen ihrer Seele. Je mehr sie sich mit ihm verschlang, umso mehr Angst hatte sie.

Sie konnte dennoch nichts dagegen tun. Sogar eine Fury konnte ihr Schicksal nicht verändern und das Schicksal hatte schon viel getan.

Alice würde sterben und Aeric zurücklassen.

ALICE STAND am großen Fenster in Aerics Schlafzimmer und starrte auf die Straßenlaternen in der Entfernung. Der Mond hing voll und schwer am Nachthimmel, als ob er brütete, während er über die New Orleans Skyline wachte.

Hinter ihr schlief Aeric tief und fest. Ein Blick über ihre Schulter zeigte seine muskulöse Statur ausgestreckt auf dem großen Bett, nackt wie die ursprüngliche Sünde. Sie beobachtete ihn für einen Moment, dann drehte sie sich wieder zum Fenster. Sie bearbeitete ihre Unterlippe mit ihren Zähnen und fragte sich, was sie wachhielt.

Eine ungekannte Befürchtung, ein bitterer Geschmack auf ihrer Zunge. Ein unruhiges, vorahnendes Gefühl …

Der Mond schien weiter und gab nichts von dem preis, was Alice so dringend wissend wollte. Ein merkwürdiges Gefühl rührte sich in ihrem Bauch, das Gefühl war alt und unmissverständlich … ihre Fury-Macht versuchte aufzusteigen, unaufgefordert. Wenn sie jemals das Ritual beenden und eine volle Fury werden würde, wäre diese Antwort ein Hinweis, ein gewaltsamer Racheakt, der ohne Alices Gnade oder Wissen ausbrechen würde.

Da sie keine Göttlichkeit erreicht hatte, konnte sie auf ein wenig ihrer Macht zurückgreifen, Teile herziehen und sie für eine eingeschränkte Zeit nutzen. Seit Tisiphone sie verlassen hatte, hatte ihre Fury nie wieder versucht, spontan aufzutreten.

Es war unberuhigend, um es gelinde auszudrücken.

Alice neigte ihren Kopf. Ein leises Geräusch aus dem Flur zog sie vom Fenster weg und sie ging barfuß aus dem Schlafzimmer. Sie ging neugierig zur großen Treppe. Zu ihrer Überraschung fand sie Echo, Kira und Cassie im Flur stehen und flüstern.

„Du auch?", fragte Cassie, als Alice sich zu ihnen stellte. Sie rieb ihren schwangeren Bauch und Cassie zog ein Gesicht. „Niemand von uns kann schlafen. Etwas wird heute Nacht passieren."

„Die ganze Gruppe der Frauen hat viel zu viel Vorahnung", witzelte Kira und schüttelte ihren Kopf.

„Ja, währenddessen schlafen alle Guardians", sagte Echo mit einem Kichern.

„Asher ist auf Wache", sagte Kira mit einem Seufzen. „Ich habe ihm vor ein paar Minuten geschrieben und ihn gebeten, zurück zum Landgut zu kommen. Ich habe irgendwie ein schlechtes Gefühl..."

Alice verlor den Faden des Gesprächs. Ihre Macht rührte sich wieder, die Fury in ihr war hungrig und brodelte. Bereit, Verwüstung anrichten zu können, bereit, die Seele einer unglücklichen Kreatur zu ernten. Die verlockende Bedrohung, die sie die ganze Nacht gefühlt hatte, verdreifachte sich, bis sie ihre Brust erfüllte. Sie dachte, sie würde sich daran verschlucken, die Luft war so schwer mit Vorahnung.

Sie schmeckte den metallischen Geschmack von Blut im Mund, salzig und bitter. Das war der Moment, in dem sie wusste, dass ihre Zeit mit Aeric zum Ende kam.

Im Nullkomma Nichts war es auf einmal klar. In den kommenden Minuten würde die Fury aufkommen und

Alice würde weg sein und Allisandre würde ihren Platz einnehmen und sie würde großen Schaden auf ihrem Weg anrichten.

Alice wandte sich von den anderen Frauen ab, ignorierte ihren Protest und machte die Vordertür auf. Ihre Bewegungen waren tollpatschig und gezwungen. Sie bekämpfte die aufsteigende Welle in ihrem Herzen, solange sie konnte, angetrieben ging sie den Vordereingang herunter und in Richtung Straße. Das Verlassen der Mauern des Landguts war wie das Abstreifen eines Fellmantels im Sommer. Sie seufzte fast vor Erleichterung.

Alice versuchte zurück auf das Landgut zu schauen und wünschte sich die ganze Zeit, dass sie Aeric wiedersehen und ihn noch einmal küssen konnte. Ihm süße Worte zuflüstern konnte, Dinge, die sie zurückgehalten hatte, weil es zu sehr weh tat, sie zu sagen. Wie dumm sie gewesen war, sie hatte gedacht, sie hätte für alles noch genug Zeit.

Sie sah, wie Cassie ihr folgte.

„Bleib zurück!", rief Alice. Alice warf in einer warnenden Geste eine Hand hoch – sie hatte keine Ahnung, was passieren würde, aber Cassie musste weit, weit weg sein.

Sie drehte ihrer Freundin den Rücken zu, sie stand auf dem Bordstein und wartete. Mehrere Sekunden gingen vorbei, ihr Herz hämmerte schnell in ihrer Brust. Alice zitterte, als eine rohe Macht, die sich in ihr aufgebaut hatte, mit jedem Herzschlag anschwoll und pochte. Sie ballte ihre Fäuste zusammen, als die erste Explosion auftrat, vielleicht nur ein paar Hundert Meter entfernt. Ein bösartiger Zauber traf einen Baum in der Nähe und sandte eine feurige rote Funkenwelle in die feuchte Nachtluft.

So fing es an.

Die Mädchen rannten alle aus der Vordertür und

achteten sorgfältig darauf innerhalb der Landgutwände zu bleiben. Es war alles gut, aber Alice plante, so viel wie möglich davon außerhalb des Landgutgrundstücks zu halten. Auf der Straße vor ihr brach plötzliches Chaos aus, schwarz gekleidete Schlägertypen kamen zusammen mit mönchsartigen Männern in dunklen Roben. Hell gekleidete Magier tauchten von allen Seiten auf und warfen Zauber auf den Schutz des Herrenhauses. Mehrere böse aussehende Wolfsverwandler stapften die Straße entlang und kamen direkt auf Alice zu.

Zum Schluss kamen die Untoten, blinde und gedankenlose Körper liefen mit blinder Entschlossenheit über den Gehweg. Sie waren langsam, aber wirkungsvoll, ein Biss oder ein Kratzer könnte ein menschliches Opfer mit Leichtigkeit anstecken.

Alices Lippen zogen sich zu einem langsamen Grinsen zurück. Die Macht überkam sie, rollte in Wellen über sie und ihre Haut glänzte mit silbrigem Licht. Ein Fluch streifte ihre Schulter und glitt ab, und berührte sie nicht im Geringsten. Ihre Finger kribbelten und sie wusste, was als Nächstes passieren würde. Sie fühlte die Kühle des Metalls, noch ehe sie es sah, das flammende Langschwert, das sich in ihrer Hand wie eine feurige Marke vom Himmel manifestierte. Sie zog das brennende Schwert in ihrer Hand hoch, das Gewicht davon perfekt ausbalanciert.

Nichts hatte sich jemals richtiger angefühlt. Sie eilte nach vorne und stieß das Schwert direkt durch einen Zauberer, der sie angriff, ein dunkler Fluch knisterte in seinen Händen. Sobald das Schwert durch sein Fleisch drang, schrie er und ging in einem Knall von schwarzen Flammen auf und zerstörte alles innerhalb einer kurzen Sekunde.

Bis zu dem Moment hatte Alice nie gewusst, wie es sich

anfühlte, eine Fury zu sein. Es war besser als jede Droge, die sie je gekannt hatte, es pulsierte durch ihre Venen und zog ein tiefes Gelächter aus ihrer Kehle.

„Das musst du noch besser machen", keuchte Alice.

Hinter sich fühlte sie Aerics Anwesenheit im Garten. Während Alice weiterging, und eine böse, helle Energiekugel bereits an ihren Fingerspitzen hielt und bereit war, diese loszulassen, wusste sie, dass die Guardians sich für die Aktion bereit machten.

Alice gab sich dem Kampf hin, etwas was sie noch nie wirklich vorher erlebt hatte. Ihr Gesichtsfeld verengte sich vor den Feinden vor ihr und blockierte alles andere, während sie Flüche feuerte und ihr Schwert schwang. Die Flammen wölbten sich immer und immer wieder durch die Luft, das Feuer trieb ihren Wahn höher und höher, die Blutlust konsumierte sie Stück für Stück.

Durch den roten Nebenschleier, der sich auf sie gelegt hatte, konnte Alice die großen, felligen Formen von mehreren Bären ausmachen. Die Guardians hatten sich alle verwandelt und preschten durch die Menge von Angreifern, die Tiere waren wild und beängstigend für sich. Nach einer langen Reihe von befriedigenden Tötungen wurde Alice von dem wütenden Bellen von einem der Bären abgelenkt.

Sie drehte ihren Kopf ein wenig nach links und behielt den schwarz angezogenen Schlägertypen, gegen den sie kämpfte im Blick. Einer der Bären brüllte und versuchte sich nach vorne zu drängen, mehrere Magier arbeiteten daran, ihn auf dem Kampffeld unter Kontrolle zu halten. Es war nicht Aeric; das konnte Alice sehen. Sie dachte vielleicht Gabriel, obwohl sie sich nicht sicher sein konnte. Im Mondlicht sahen alle Bären gleich aus.

Nach dem sie den Idioten im Anzug und zwei stolpernde Zombies erledigt hatte, erkannte Alice, dass der Bär nicht von seinen Angreifern erschüttert war, sondern von einem Anblick ein wenig näher an der Villa. Der Schutz war heruntergekommen und mehrere Zombies umkreisten Cassie. Cassie versuchte Flüche auf sie zu werfen, aber ihre Flüche wurden abgewiesen, noch ehe sie sie richtig adressieren konnte. Bestenfalls hielt sie sie zurück, indem sie die Untoten mit hellen Lichtern und elektrischen Schocks verscheuchte, was nicht lange anhielt.

„Cassie", flüsterte Alice. Sie schwang ihr Schwert in hohem Bogen, wehrte einen Haufen Angreifer ab und beschwor dann einen großen betäubenden Zauber. Sie ließ ihn auf die Zombies fallen, die Cassie angriffen und sie fielen für ein paar Momente zurück. Als sie zurückfielen, trat ein Magier mit roter Robe in den Weg und griff Cassie von hinten und schlang einen Arm um ihren Hals. Er begann sie wegzuziehen und Alice wurde immer besorgter.

Sie schwang ihren Kopf herum und suchte nach ihrem Partner.

„Aeric! Zu Cassie!", schrie sie.

Aerics schöne braune Bärenform zitterte unter dem Gewicht von mehreren Untoten. Er riss einen auseinander und schüttelte zwei weitere ab, dann eilte er auf Alices Drängen hin in Richtung Cassie. Als ein halbes Dutzend weitere Männer sich zwischen ihn und Cassie stellten, hielt Aeric inne.

Alice wusste ein paar Sekunden früher, dass er sich verändern würde, noch ehe es passierte. Er schimmerte überall, dann platzte eine helle Wolke in den Nachthimmel, die wuchs und sich veränderte, bis Aerics Drache herauskam. Er stand fast fünfzehn Meter hoch, und als die überwältigende Figur ihre goldenen Flügel ausstreckte, spannten sie sich zwei Mal so weit. Seine Schuppen schienen wie flüssiges Gold, seine lange Schnauze und die unheimlichen Zähne glitzerten unter einem Paar von glänzenden blauen Augen, die Alice überall wiedererkennen würde.

Er war *prächtig*.

Er schaute sie und dann Cassie an. Dann holte er tief Luft, die Schuppen auf seinem Bauch und seiner Brust wogen sich und dann blies er einen großen Stoß helles orangenfarbenes Feuer aus. Genau dieselbe Farbe, wie Alices Schwert. Alices Herz setzte einen Herzschlag aus. Das Feuer erwischte ein Dutzend Männer, Magier und Männer in Roben und Zombie ähnliche Gestalten. Alle verstreuten sich, schrien und brannten, rannten in alle Richtungen und steckten andere Bösewichte in Brand.

Dann schrie Cassie und die ganze Szene veränderte sich plötzlich. Aeric schleppte sich zu ihr, schob die bösen Männer mit seinen Flügeln beiseite und erwischte andere mit seinem Kiefer. Die Grausamkeit des Ganzen ließ Alices Magen taumeln, obwohl sie gerade erst einen Mann mit ihrem eigenen Schwert erstochen hatte. Irgendwie hatte sie ziemlich viel Angst um die Sicherheit ihres Partners, als sie ihn in diesem Urzustand sah.

Alice lief in Aerics Schatten, und als er sich drehte, um den Weg freizumachen, machte sie ihren Schritt. Die Fury in ihr wurde zu der Magie gezogen, die Cassie hielt; sie konnte bereits die süße, dunkle Gerechtigkeit seines Tods in der Luft spüren. Alice hob ihr Schwert hoch und warf es in einem hohen Bogen wie einen Speer.

Cassie schrie, als das lodernde Schwert herunterkam und den Kopf des Magiers unordentlich von seinen Schultern löste, bevor er zu Boden fiel. Es berührte nichts anderes, ließ Cassie unbeschädigt, und als ein Mann versuchte, sich hinunterzubeugen und ihn aufzuheben, verbrannte ihn das Schwert im Ganzen in einer glänzenden Flamme.

Cassie kam frei und rannte in Richtung der Bären, wahrscheinlich zu ihrem Partner. Der Bär krümmte sich und veränderte sich und Gabriel schälte sich heraus, nackt wie bei seiner Geburt. Er hob Cassie sofort hoch und rannte zu Mere Marie, die ihn rief. Die weiße Hexe zog einen dünnen lila Abschirmzauber hoch, als Gabriel Cassie vor Mere Maries Füße fallen ließ, dann schoss Gabriel wieder davon.

Die Ablenkung kostete Alice fast ihr Leben oder zumindest einen guten Batzen Fleisch. Sie drehte sich gerade noch rechtzeitig um, um einem brennenden Pfeil auszuweichen, der so nah an ihrer Schulter vorbeiflog, dass sie spüren konnte, wie ihr Fleisch Blasen bekam. Anscheinend erforderte ihre Abwehr tatsächliche Konzentration, zumindest um sie vor körperlichen Objekten zu schützen, die durch die Luft flogen.

Alice wurde für ein paar Minuten in den Kampf gezogen. Sie bemerkte plötzlich, dass der Umfang des Angriffs immens war, es mussten mehrere Hunderte Angreifer sein, die in das Landgut geschwärmt waren. Die Guardians machten eine brauchbare Arbeit, indem sie sie fernhielten, aber vier Guardians und drei Partner waren keine Armee. Nach diesem Gedanken ertönte ein Geräusch, das Alices Blut in Eis verwandelte.

Sie drehte sich, ließ ihr Schwert durch die Schulter eines Mannes fahren und keuchte nach Luft. Weniger als fünfundvierzig Meter entfernt, war Aeric unter Befall. Jemand hatte die Seltenheit des Drachens erkannt und einen umfassenden Angriff auf ihn gestartet. Dreißig Männer oder mehr bedeckten seinen Körper, schlugen auf ihn ein und stachen Schwerter in seine Schuppen und versuchten ihn zu bekämpfen.

Ein Mann hielt eine böse aussehende Klinge, die ein krank aussehendes blaues Licht ausstrahlte. Er war unter

Aerics Flügel geklettert und hatte das Schwert in Aerics Bauch gestoßen, gerade da, wo seine Beine seinen Körper trafen. Aeric brüllte.

Er schrie halb vor Schmerz, halb vor Wut, das Geräusch zog Alices Aufmerksamkeit mit einem plötzlichen und laserähnlichen Fokus auf sich. Aeric fiel wie ein Zeppelin, schnaubte Feuer und brüllte seine Wut hinaus. In dem Moment wurde alles langsamer, langsam, langsamer.

Alices Mund öffnete sich und begann eine scharfe Totenklage zu singen. Ihr Lied, die zerstörende Melodie brach aus. Ihr ganzer Körper zitterte, helles Licht füllte ihre Vision. Sie lehnte ihren Kopf zurück und ließ das Geräusch frei, der Klang brachte die ganze Welt zum Stillstand. Es ging weiter und weiter und weiter, Alice holte alles aus sich heraus, die Fury gab das letzte ihrer Macht frei in einer letzten Darbietung brutaler Macht.

Um sie herum fielen alle Körper auf den Boden. Der Fury war das egal, ob sie Freund oder Feind waren, sie wollte nur ihren Partner schützen, ihre Liebe. Ihr Lied brannte hell und hoch, schüttelte ihren Körper, zog Alice aus den Klauen einer dünnen menschlichen Form, die sie ihr ganzes Leben lang getragen hatte. Sie fühlte deutlich die Trennung ihrer Seele von ihrem Körper, aber sie hätte es nicht aufhalten können, selbst wenn sie es versucht hätte.

Ihr Lied endete mit einer schönen, gehetzten Note und riss Alice in einem letzten, schmerzvollen Zug weg von der menschlichen Welt. Sie warf einen Blick auf Aeric, der auf der Seite lag, sah seine Brust sich heben und senken und war zufrieden. Wenn sie schon sterben musste, dann hatte sie wenigstens ihren bestimmten Partner gerettet.

Alice ließ los, ließ sich durch die dicke Luft tragen und hinter den Schleier.

Ihr letzter Akt war vollendet.

eric wachte mit einem Brüllen in seiner Kehle auf. Er zog wie wahnsinnig am Bettzeug, das sich an seinen Armen und Beinen verwickelt hatte. Sein Herz klopfte, sein Drache und der Bär kämpften, er war in einem Zustand purer Panik.

„Alice!", schrie er.

Er befand sich in einem merkwürdigen Schlafzimmer, fester als eine Mumie im Bett eingepackt. Der ganze Raum war in purem Weiß gehalten, der Geruch von ätzenden Chemikalien sagte ihm, dass er in einer Art Krankenhaus war.

„Wo bin ich?", fragte er. „Wo ist Alice?"

„Verwandel dich nicht wieder", sagte Mere Marie und erschien an seinem Bett. Sie hielt einen feuchten Waschlappen in ihrer Hand und warf ein kritisches Auge auf ihn. „Und beweg dich nicht so viel. Du bist schlimm verwundet."

Sie hatte recht mit Letzerem. Schmerz durchfuhr die rechte Seite seines Körpers, und als er es schaffte seinen Körper in eine bequemere Position zu rücken, sah er, dass er von den Rippen bis zur Hüfte verbunden war.

Während Aeric seine Wunden untersuchte, drehte Marie sich um und rief über ihre Schulter eine Krankenschwester. „Holt Dr. Khouri! Er ist wach!"

„Wo ist Alice", wiederholte Aeric und zog an den Schläuchen, die an seinen Vorderarmen und Handgelenken gebunden waren.

Mere Marie öffnete ihren Mund zögerlich und gab Aeric ein flaues Gefühl in der Magengrube, aber noch ehe sie antworten konnte, kam eine schöne Frau aus dem Mittleren Osten in einem weißen Arztkittel in den Raum gestürmt.

„Ah, du bist wach. Ich wusste, du würdest früher oder später wieder wach werden", sagte sie in einem klaren britischen Dialekt. „Ich bin Dr. Khouri und du bist im Full Moon General, das Paranormale Krankenhaus in Grey Market. Hör auf, an den Infusionen zu ziehen. Es hat ewig gedauert, bis die Krankenschwester die in dich stecken konnte, weil du ständing deine Form geändert hast. Jetzt lass uns mal den Blutdruck messen."

Unter der sanften, aber strengen Aufsicht wurde Aeric dazu genötigt, sich aufzusetzen und darauf zu warten, bis sie fertig war. Sobald sie alle seine wichtigen Werte überprüft hatte und zufrieden schien, fragte er sie wieder.

„Wo ist meine Partnerin? Wo ist Alice?" Er war nicht stolz auf den bittenden Ton in seiner Stimme, aber er war verzweifelt, weil er auf eine Antwort wartete.

Die Ärztin atmete leicht ein, ihr Mundwinkel verzog sich ein wenig nach unten.

„Es tut mir leid, ich kann dich nicht zu ihr lassen. Es geht dir nicht gut genug, um das Bett zu verlassen und deine Partnerin ist noch nicht aufgewacht."

Es gab eine Art Blitzen in ihren Augen, etwas das Aeric sagte, dass er nicht die ganze Geschichte hörte. Er schaute Mere Marie an und sah dasselbe in ihrem Gesicht.

„Was meinst du damit, nicht aufgewacht?", fragte er.

Mere Marie legte ihre Hand auf seine.

„Als sie gesehen hat, dass du verwundet bist, hat sie etwas durchgemacht ... Naja, wir sind nicht so sicher, was. Aber es war traumatisch. Es gab ein großes helles Blitzen und dann sind alle auf den Boden gefallen. Das war Alice, wir sind da ziemlich sicher. Jeder einzelne eurer Feinde war so tot wie ein Türnagel und der Rest von uns wurde bewusstlos. Du und Alice ihr seid die letzten, die noch wiederbelebt wurden. Tut mir leid."

Aeric schnitt eine Grimasse und begann seine Beine aus dem Bett zu schwingen.

„Macht die Infusionen raus oder ich werde sie herausreißen", sagte er und versuchte verzweifelt ruhig zu bleiben. „Ich werde sie mir jetzt ansehen mit oder ohne ihre Hilfe."

Mere Marie und die Ärztin wechselten einen Blick. Nach einem Moment gab Dr. Khori ein kurzes Nicken und begann die Schläuche abzumachen.

„Warte lass mich–", versuchte die Ärztin zu sagen, aber sobald Aeric frei war stand er auf und war schon halb aus der Tür.

Mere Marie folgte ihm und führte ihn nach rechts, während er barfuß über den Flur lief. Ihm fiel ein, dass er eine Art dünnen Krankenhauskittel trug und wahrscheinlich aussah wie ein wilder Mann. Das war nicht ganz falsch oder? Er fühlte sich wild ohne seine Partnerin.

Alices Raum war nur ein paar Türen von seinem entfernt. Als er die Tür aufstieß, fand er Cassie und Echo auf Stühlen an der Seite des Krankenhausbetts sitzend. Alice trug denselben dünnen Kittel wie er, sie lag auf dem Bett, genauso wie damals, als er sie in dem Glassarg gefunden hatte.

Sie schaute aus, als wenn sie für ihre eigene Beerdigung

vorbereitet worden wäre. Ihr langes, dunkles Haar lag in einer seidigen Masse um sie herum, ihre Haut war unnatürlich blass, ihre Lippen zu hell, ihre Augen geschlossen. Aeric stolperte zu ihrem Bett und nahm ihre Hände in seine.

„Sie ist kalt", murmelte er. Er drehte sich zur Ärztin, die hinter ihm in der Tür stand und fragte: „Warum ist sie so kalt?"

Die Ärztin seufzte.

„Wir sind nicht sicher", gab sie zu. „Es ist kein Koma ... und sie atmet noch. Sie ist ... Sie ist nur noch nicht aufgewacht, so wie wir das erwartet haben."

„Wir haben alles versucht, was uns eingefallen ist", sagte Mere Marie. „Niemand scheint zu wissen, was es ist."

Aeric nickte kurz und schaute Alice an. Sie war so unheimlich ruhig, außer dem sanfte Heben und Senken ihrer Brust, wenn sie atmete.

„Es ist ein Fluch. Sie hat versucht es mir zu erzählen ..." Seine Stimme brach. „Sie sagte, der Partner einer Fury bringt ihr den Tod, ohne Ausnahme. Ich wollte nicht hören ..."

Dr. Khouri näherte sich und legte eine Hand auf Aerics Arm.

„Sie ist noch am Leben", erinnerte die Ärztin ihn sanft. „Ich glaube, es gibt noch Hoffnung. Vielleicht ein Ritual ... Ich bin mir nicht sicher."

Ein Ritual. Das war etwas, das Aeric verstehen konnte, etwas Bekanntes. Er schaute sich im Zimmer nach einem scharfen Objekt um, in Eile griff er nach einer Medizinschere von einem Wagen einer Krankenschwester in der Nähe. Noch ehe jemand etwas sagen konnte, machte Aeric einen sauberen Schnitt über seine Handfläche.

Blut tropfte und er drückte seine Hand gegen die

Nackenlinie von Alices Krankenhauskittel, so nahe, wie er an ihr Herz nur kommen konnte.

Er wartete und hoffte, aber da war nichts. Alice zuckte nicht einmal. Aeric schaute Mere Marie perplex an.

„Ich hätte dir auch sagen können, dass du das nicht tun sollst. Das Opfer ist gar nicht groß genug", sagte die alte Hexe und verzog ihre Lippen zu einem finsteren Blick.

„Was dann? Ich würde alles dafür geben, sogar mein Leben –", begann Aeric.

„Na, na na", sagte Mere Marie und schüttelte ihren Kopf. „Das werde ich nicht zulassen."

„Du hast nicht wirklich eine Wahl", keifte Aeric.

Mere Marie verschränkte ihre Arme und warf ihm einen Blick zu.

„Doch die habe ich. Es steht in den Regeln deines Vertrags. Du darfst dein Leben nicht nutzlos opfern. Wenn du das versuchst, werde ich Magie anwenden, um dich davon abzuhalten. Es muss einen anderen Weg geben."

„Hat ...", begann Cassie und biss sich auf ihre Lippe. „Hat Alice nicht gesagt, dass sie diejenige war, die dich verflucht und dich in einen Drachen verwandelt hat?"

Aeric starrte sie mit einem neugierigen Blick an.

„Ja."

„Dann ... Was wenn ... ich meine, das hört sich verrückt an, aber glaubst du nicht, dass dies das geeignete Opfer wäre?" Cassie zog ihre Nase kraus. „Ich meine, es ist brutal, aber –"

„Ich mache es", Aeric musste nicht einmal darüber nachdenken. Er schaute Mere Marie an. „Wie mache ich das?"

Mere Marie neigte ihren Kopf.

„Ich glaube, du musst Echo fragen, ob sie dich hinter den Schleier bringt, in die Geisterwelt."

Aeric sah zu Echo.

„Natürlich kann ich das. Ich kann dich da hinbringen, aber du musst sie zurückbringen."

„Lass es uns tun", sagte Aeric ohne einen Moment zu zögern.

Echo stand auf und kam herüber. Sie streckte ihm eine Hand hin und Aeric nahm sie. Sie schloss ihre Augen und streckte die andere Hand aus und wedelte damit vor ihrem Körper. Für mehrere Momente sah sie aus wie eine verrückte Frau, die etwas erlebte, was Aeric nicht sehen konnte.

Dann wurde die Luft vor ihnen dicker und schien sich zu verziehen, wirbelte mit jeder Bewegung von Echos Hand. Echos Augen gingen ganz plötzlich wieder auf. Die Szene vor ihnen, Alice in ihrem Krankenhausbett und Cassie, die mit einem ängstlichen Ausdruck zu sah, verschwanden. Eine Schicht weißer Nebel erschien und Echo griff danach und zog sie zurück, so als wenn sie einfach einen Vorhang beiseite zog.

„Komm", sagte Echo verheißungsvoll. Sie trat in die graue Dämmerung hinter dem Schleier und nahm Aeric mit.

Aeric trat durch die spirituelle Ebene und zwinkerte, während seine Augen sich daran gewöhnten. Die Welt hier war trübe und neblig, keine Sonne oder Mond schien. Er konnte einige knotige Bäume in der Entfernung ausmachen und den dunklen, feuchten Boden an seinen Füßen, aber sonst nicht viel.

Echo ließ seine Hand los.

„Ich kann nicht weiter gehen", erklärte sie. „Ich muss hierbleiben und die Öffnung bewachen, die ich in den Schleier gemacht habe. Sie wird Geister anziehen, einen nach dem anderen, also versuch, so schnell wie möglich zu machen."

„Wo gehe ich ihn?", fragte Aeric, während er in den Nebel spähte.

„Ich glaube, jemand wartet auf dich", sagte Echo und zeigte in eine Richtung.

Es stimmte. Eine große, dunkel gekleidete Person stand im Nebel. Aeric ging weg von Echo, sein Herz hämmerte in seiner Brust, während er auf die Fremde zuging. Jeder Schritt fühlte sich an, als wenn er durch Beton lief, er nutzte seine ganze Kraft, um sich zu bewegen.

Als er nur noch eine Armlänge von der Person entfernt war, sah er das Gesicht. Die Frau war älter als jeder Mensch je sein konnte, mit Falten und Knoten. Dennoch kam ihm etwas an ihr bekannt vor.

„Du lebst", sagte sie und hörte sich leicht überrascht an. Ihr Dialekt war dick und wahrscheinlich aus dem Mittleren Osten und noch schwieriger zu verstehen durch ihr zahnloses Flüstern. „Ich habe meine Tochter gewarnt, dass sie dich töten soll, und ihr Schicksal als eine Fury erfüllen sollen. Und dennoch stehen wir jetzt hier."

Sie zeigte auf eine dunkle Stelle am Boden nur ein paar Meter entfernt. Aeric starrte ein paar Sekunden darauf, ehe er es als Körper erkannte. Alice lag bäuchlings auf dem Boden, eingewickelt in einen dicken, dunklen Mantel, wie den der alten Frau.

„Alice!", schrie er und rannte zu ihr. Er kniete sich hin und drehte sie um. Sie war leblos, blass und kühl, als er sie berührte. Dennoch atmete sie, eine perfekte Kopie von Alice, die im Krankenhausbett lag.

„Sie kann dich nicht hören", fauchte die Hexe. „Du hast alles von ihr genommen, genauso wie ich gesagt habe."

„Ich würde alles tun", schwor Aeric. „Alles um sie wiederzuhaben."

Das alte Weib neigte ihren Kopf und betrachtete Aeric einen Moment lang.

„Sie kann nicht vor oder zurück ohne ein geeignetes Opfer. Wie viel würdest du von dir selbst geben, um sie zu befreien?"

„Mein Leben", sagte Aeric. „Ich würde alles geben, worum du mich bittest."

Mit zusammengepressten Lippen schüttelte die Hexe ihren Kopf.

„Ich kenne meine Tochter. Sie hat dein Leben mehr als einmal gerettet, sie schwärmt für dich. Sie würde nicht ohne dich nicht in die Welt zurückkehren wollen." Sie hielt inne. „Der Fluch, mit dem sie dich belegt hat, der Drache darin. Den liebst du oder?"

Aeric neigte seinen Kopf. „Das tue ich."

Die Hexe warf ihm ein unheimliches, gummiartiges Lächeln zu. Sie zog ein langes, gefährlich aussehendes Obsidianmesser aus ihrer Robe.

„Das könnte funktionieren", sage sie. „Befreie deinen Drachen, lasse ihn in die Geisterwelt und du kannst vielleicht deine Partnerin zurückbekommen."

Aeric riss ihr das Messer aus ihren zitternden Fingern und schauderte bei dem Gefühl der Schneide des Messers, es hatte eine eisige Oberfläche. Der schwarze Stein glühte schwach in der Dämmerung und ließ Aerics Magen ein wenig unruhig werden.

„Direkt in dein Herz, würde ich sagen", sagte die Hexe und verschränkte ihre Arme und warf ihm einen unbeeindruckten Blick zu.

Aeric schloss seine Augen, nahm einen beruhigenden Atemzug und drehte das Messer um. Er klammerte sich mit beiden Händen daran und stieß es mit einem einzigen schwungvollen Stoß in sich.

Ein Schrei brach von seinen Lippen, während das Messer sein Fleisch zerteilte. Aber es stoppte sein Herz nicht, kein Blut floss heraus, sein Körper war völlig intakt. Stattdessen verletzte das Messer seine *Seele*. Sein Drache wand sich und brüllte, während er aus Aerics Körper gezogen wurde. Große Sorge füllte sein Herz, als sein Drachengeist aus der Messerwunde heraustrat, er kam in einem dünnen Strahl goldenem Rauch heraus.

„Argh!", grunzte Aeric. Der Rauch legte sich über seine Schultern, streichelte ihn sehnsuchtsvoll, ehe er im Nebel verschwand. Die alte Frau streckte ihre Hand aus und zog den Dolch aus Aerics Brust, und hielt ihn an den Schultern fest, damit er nicht auf Alices bewusstlosen Körper fiel.

Unter ihm bewegte Alice sich.

„Alice", flüsterte er heiser.

Sie ließ ein leises Stöhnen hören und rollte sich auf die andere Seite. Aeric befreite sich von den Händen der alten Hexe und umarmte seine Partnerin. Als ihre großen haselnussbraunen Augen sich öffneten, und sie schläfrig blinzelte, zog er sie an seine Brust in eine enge Umarmung.

„Was ist los?", murmelte sie.

„Geh jetzt", drängte die Hexe Aeric. „Nimm deine Frau und geh weg von hier."

„Mutter?", fragte Alice und schaute verwirrt hoch.

Aeric verschwendete keine Sekunde. Er stand auf, hob Alice in seine Arme und lief in Richtung der Stelle, wo Echo wartete.

„Du hast es getan", sagte Echo bewundernd. Sie trat beiseite und ließ Aeric Alice hindurchtragen, dann folgte sie ihnen, um den Schleier zu schließen. Alices Körper verblasste in seinen Armen und verschwand schließlich ganz. Er hatte einen Moment Panik, bis er erkannte, dass sie immer noch im Krankenhausbett auf der anderen Seite lag.

Aeric trat in das unberührte weiße Krankenhauszimmer und zuckte zusammen bei dem hellen Licht der menschlichen Welt. Mere Marie, Cassie und Dr. Khouri schauten zwischen Aeric, Echo und Alice hin und her, die darum kämpfte, sich in ihrem Bett aufzusetzen.

Aeric schob die Frauen beiseite und setzte sich neben Alice und griff nach ihren jetzt warmen Händen. Sie schaute ihn ein paar Sekunden lang an, Tränen füllten ihre Augen.

„Du ... ", flüsterte sie. „Ich kenne dich oder?"

Aerics Herz sank.

„Du bist meine Partnerin", sagte er verwirrt. „Natürlich kennst du mich."

Alices Unterlippe zitterte.

„Ich – Es tut mir leid", sagte sie, ein kleines Schluchzen kam über ihre Lippen. „Ich erinnere mich nicht ..."

Natürlich. Der Fluch war aufgehoben ... und hatte alle ihre Erinnerungen mitgenommen. Aeric griff nach ihr und zog sie eng an sich.

„Es ist okay", murmelte er in ihr Haar. Sie wehrte sich überhaupt nicht und erlaubte ihnen beide den Trost einer Umarmung.

„Ich kenn dich", sagte sie wieder. „Ich kenn dich. Ich habe dich berührt ... ich kann mich nur nicht erinnern ..."

„Aeric. Mein Name ist Aeric", sagte er. „Und ich werde dich immer wieder finden, Alice."

Sie schubste ihn ein wenig zurück, um ihn anzusehen. Ein merkwürdiges, schüchternes Lächeln erschien auf ihren Lippen.

„Aeric", sagte sie, als wenn sie seinen Namen ausprobierte. „Du bist wirklich sehr gutaussehend."

Eine Träne rollte über ihre Wange, die Erste die ihn in hundert Jahren berührte. Damit erkannte er einen Moment von starker, brennender Hoffnung. Er hatte sie gerettet, das war alles, was wichtig war. Der Rest würde mit der Zeit kommen.

Immerhin hatte sie versprochen, dass sie immer zu ihm zurückkommen würde.

Immer.

12

*P*ere Mals Muskeln zuckten und weckten ihn aus einem dösenden Schlaf. Der Erste, den er seit Tagen hatte, seit sich Kieran der Graue auf dem Guardians Landgut seinen Truppen entzogen hatte. Unheil verkündete sich in seiner Brust, noch ehe er seine Augen öffnete.

Das zweite seiner Augenlieder hob sich und er schrie auf. Er lag in seinem Bett und umklammerte einen abscheulichen Zeremonialdolch. Derselbe, den er immer und immer wieder benutzt hatte, um Papa Aguiel voranzubringen, um die Form eines wartenden Behältnisses zu verändern.

„Nein!", schrie er, aber es war zu spät. Eine Dunkelheit regte sich in seiner Brust, während der Dolch in seinen Körper stieß, ein Schrei entwich seiner Kehle.

Sein Bewusstsein veränderte sich und floss davon...

PLÖTZLICH STARRTE Papa Aguiel auf eine weiße leere Wand. Ein Grinsen lag auf seinem Gesicht, während er sich in seine neue Haut wickelte, Knochen krachten und Fleisch streckte sich, um seine wahre Form darzulegen. Er konnte bereits die Stärke seines Behältnisses fühlen. Es war ein großes Stück Magie, diesen mächtigen Vodoo Priester als Behältnis zu nutzen, anstatt der üblichen Jungfrau Opferung, aber es lohnte sich.

Aguiel konnte sehen, dass dieser hier viel mehr aushalten würde. Er hatte zumindest noch Wochen, vielleicht Monate Zeit, ehe diese Form aufgab. Viel Zeit, um das Behältnis auszuräuchern, das er brauchte, damit seine Form ewig halten würde.

Sobald er das Mädchen einmal hatte, würde er die menschliche Welt mit eiserner Faust regieren. Der Himmel würde Blut regnen, die Flüsse würden mit Körpern seiner Feinde voll sein und die Menschen würden sich seiner Herrschaft beugen.

Das stand so geschrieben.

Es hatte sich noch nie so gut angefühlt, zu stehen und seinen Körper zu strecken. Pere Mal hatte zumindest bei seidenen Pyjamas einen guten Geschmack. Wenn diese passten, dann schien es möglich, dass Papa Aguiel eine volle Garderobe zu seiner Verfügung hatte, ohne jegliche Arbeit seinerseits.

Ja, er hatte sein letztes Behältnis sorgfältig gewählt.

Sein Grinsen wurde noch breiter, während er zur Tür von Pere Mals Schlafzimmer ging. Da im Büro gab es eine Ansammlung von Fotos an der Wand, die Menschen, die Pere Mal auf Papa Aguiels Befehl hin, gejagt hatte.

Ein Foto zeigte zwei schöne und identisch dunkelhaarige Männer, beide trügerische Faerie Prinzen. Ein weiteres Foto zeigte eine wunderschöne Frau aus dem Mittleren Osten mit einem Wasserfall von seidenem Haar und großen braunen Augen. Sie posierte mit mehreren ihrer Mitarbeiter, alle in weiße Ärztekittel gehüllt.

Papa Aguiel nahm das Foto von der Wand und fing an zu lachen. Er drehte das Foto um und fand den Namen der Frau in krakeliger Handschrift.

„Dr. Serafina Khouri", las er laut vor. „Ich hätte um kein schöneres Opfer bitten können."

Er tippte mit dem Finger auf das Foto und steckte es in die Tasche seines geliehenen Pyjamas und ging in Richtung Tür. Es gab keine Zeit mehr zum Schlafen.

Papa Aguiel hatte eine Welt zu erobern.

*E*inen Monat später

AERIC BETRAT die Bibliothek seiner Suite und warf seine taktische Weste auf einen Sessel. Er hatte Mere Marie oder Cassie hier erwartet, die Alice coachen sollten. Erinnerungszauber, Lernkarten mit Informationen über die Menschen, die sie kannte, alle Arten von Dingen. Alice hatte wie sie nun einmal war, hart gearbeitet, um ein ganzes Leben von verlorenen Erinnerungen aufzuholen.

Es tat jedoch nicht weniger weh, jedes Mal wenn Aeric mit ihr sprach. Der einfachste Witz oder Hinweis oder einfach nur, wenn er sie mit Sehnsucht ansah und Alice vor Schuldgefühlen rot wurde. Er hatte viel Sehnsucht in diesen Tagen, weil er seine Partnerin nicht einfach nehmen und zum Bett tragen konnte. Er war ein netter, freundlicher Fremder für sie und nichts mehr.

Es riss ihm das Herz aus der Brust ohne Frage.

„Alice", rief er in die Bücherei.

Sie stand am Fenster und trug ein fast rückenfreies schwarzes Seidenkleid, das jeden Zentimeter ihres perfekten Körpers bedeckte. Ihr langes, schwarzes Haar war auf ihrem Kopf in einem eleganten Dutt zusammengebunden und zeigte ihren Nacken und ihr Rückgrat. Sie drehte sich bei dem Klang seiner Stimme und etwas lag in dem Blick, mit dem sie ihn ansah ...

„Alice?", fragte er und kam eilig näher.

„Ich habe auf dich gewartet", sagte sie und ihre wunderschönen braunen Augen glitzerten. „Mere Marie und ich haben heute recht viel gearbeitet und ... Naja sagen wir mal, dass ich mein Versprechen gehalten habe. Ich habe dir gesagt, dass ich zu dir zurückkomme oder?"

Aerics Arme legten sich um Alices Hüften, ehe er es verstehen konnte.

„Du erinnerst dich?", fragte er und starrte in ihre Augen. Er suchte nach Antworten.

„Ein wenig Zauber, ein wenig Wahrsagerei", sagte sie und wedelte mit der Hand. „Es ist alles wieder da. Ich habe ein Loch in den Boden gelaufen, während ich darauf gewartet habe, dass du von der Wache zurückkommst –"

Aerics Lippen trafen Alices und verursachten ein überraschtes und zufriedenes Geräusch aus ihrem Hals. Er hob sie an der Taille hoch und trug sie zu dem behäbigen Eichentisch, er nutzte eine Hand und wischte alle Papiere und Stifte herunter, ehe er sie hinsetze. Er küsste sie intensiv und hart, Finger rissen verzweifelt an ihrem Kleid, um alle Schichten zwischen ihnen zu beseitigen.

Alice hielt sich ebenfalls nicht zurück. Sie öffnete seinen Gürtel, zog seine Hosen herunter, riss an dem Ausschnitt seines T-Shirts, während sie ihn entkleidete. Sie waren nackt und keuchten, Alice keuchte und flüsterte sanfte Worte der Ermutigung in sein Ohr, und machte ihn nur noch mehr an. Er war sofort in ihr, stöhnte bei dem Gefühl ihrer engen Hitze und als sich ihre Nägel in seine Schultern gruben, wie sie auf ihre Lippen biss, um ihre Schreie der Lust zu dämpfen.

„Mach deine Augen auf, Alice", flüsterte Aeric. Dieses wunderbare Haselnussgrau wurde sichtbar und nahm ihn ein. „Mist, ich kann es nicht aushalten. Du bist zu gut ..."

Alice spannte sich eifrig an. Aeric ließ eine Hand in ihr Haar fahren und drückte ihren Rücken durch, während er sie immer und immer wieder füllte, unglaublich tief. Ihr Körper schauderte und krampfte, als sie mit einem lauten Schrei kam und ihre Nägel sich in seinen Nacken krallten.

„Aeric", stöhnte sie und das machte ihn fertig, so *richtig fertig.*

Er rief ihren Namen an ihrem Nacken, als er kam, und griff fest nach ihrem Körper, um sie noch näher zu ziehen. Er suchte wieder ihre Lippen, küsste sie und konnte kaum noch atmen. Das, er hatte das vermisst... nicht nur das aber auch die reine Verbindung, die er mit seiner Partnerin fühlte.

Es war berauschend.

Er machte sich von ihr frei und dann nahm Aeric Alice und trug sie direkt in ihr Schlafzimmer. Er legte sie aufs Bett und deckte sie beide mit einem Bündel weicher, flauschiger Bettdecken zu. Keiner von ihnen sagte ein Wort, sie hielten sich einfach fest, küssten und berührten sich und seufzten mit der Art von Freude, die Aeric noch nie erlebt hatte.

„Du weinst", sagte Alice nach einer Weile und zog sich mit einem dünnen Lachen zurück.

„Du hast damit angefangen", neckte Aeric und wurde dann ernst. "Ich dachte ... ich dachte, ich hätte dich verloren. Ich dachte, ich hätte jedes bisschen von dir, das ich je haben würde, verloren und ich –"

Seine Stimme brach und er schüttelte seinen Kopf.

„Ich wusste nicht, dass Drachen weinen", neckte Alice und verschlang ihre Finger mit seinen.

„Ich bin kein Drache mehr", sagte Aeric langsam. Für einen Moment dachte er, dass sie sich vielleicht nicht an den Teil erinnerte, dass er den Drachen aufgegeben hatte, um sie zu retten.

„Vielleicht hast du nicht mehr all die Flügel und Schuppen und so", sagte Alice und zog ihre Nase kraus und tippte ihm auf die Brust, direkt über sein Herz. „Aber da drin? Nichts könnte das verändern und hier drin bist du ein Drache durch und durch."

Aeric fiel keine gute Antwort ein. Alice zurückzubekommen, ihre Stimme zu hören, wenn sie so liebevoll mit ihm sprach ... das war fast zu viel für sein schmerzendes Herz, Drache hin oder her.

„Ich habe dir versprochen, dass ich immer zu dir zurückkommen werde. Das eine Wort, das definiert uns für immer", sagte Alice und legte ihre Wange an seine Brust. Ihre Finger fuhren in langsamen Kreisen über seine Haut und er hatte den Verdacht, dass sie die Buchstaben davon immer wieder auf seine Haut malte.

„Für immer?", fragte er und lächelte dabei

„Und immer", bestätigte Alice und kuschelte sich enger an ihn.

Aeric legte sich zurück, zum ersten Mal in seinem ganzen Leben war er zufrieden. Diese drei Wörter waren jetzt dauerhaft in sein Herz gemeißelt. Genau wie Alice.

SCHNAPP DIR EIN KOSTENLOSES BUCH!

Melde dich für meinen Newsletter an und erfahre als Erste(r) von neuen Veröffentlichungen, kostenlosen Büchern, Rabattaktionen und anderen Gewinnspielen.

kostenloseparanormaleromantik.com

BÜCHER VON KAYLA GABRIEL

Alpha Wächter Serie

Sieh nichts Böses

Hör nichts Böses

Sprich nichts Böses

Überfall der Bären

ALSO BY KAYLA GABRIEL

Alpha Guardians

See No Evil

Hear No Evil

Speak No Evil

Bear Risen

Bear Razed

Bear Reign

Red Lodge Bears

Luke's Obsession

Noah's Revelation

ÜBER DEN AUTOR

Kayla Gabriel lebt in der Wildnis Minnesotas, wo sie, das schwört sie, Gestaltwandler in den Wäldern hinter ihrem Garten sieht. Ihre liebsten Sachen auf der ganzen Welt sind Mini-Marshmallows, Kaffee und wenn Leute ihren Blinker benutzen.

Tritt mit Kayla via E-Mail in Kontakt: kaylagabrielauthor@gmail.com und vergiss nicht, dir ihr KOSTENLOSES Buch zu sichern: http://kostenloseparanormaleromantik.com

http://kaylagabriel.com

CPSIA information can be obtained
at www.ICGtesting.com
Printed in the USA
BVHW041629300520
580482BV00011B/593